ÉTÉ 36

sur la route des vacances

en images et en chansons

D1473287

© Omnibus 2006
un département de place des éditeurs
ISBN : 2-258-07041-4
Code éditeur : 423
Dépôt légal : mars 2006
Imprimé en Espagne

ÉTÉ 36

sur la route des vacances
en images et en chansons

texte de Martin Pénet

omnibus

SOMMAIRE

LE FRONT POPULAIRE EN CHANSONS

Pourquoi ce souvenir si vivace de l'été 36 ? Parce que, si certains ont pu s'inquiéter de voir leurs privilèges menacés, la période fut pour bien des Français une parenthèse de bonheur et d'air pur. Elle fait écho, aujourd'hui, à nos préoccupations sur le temps libre, les loisirs, la liberté...

La conscience collective de chaque nation se nourrit de grands mythes historiques. En France, ils ont une importance toute particulière dans la formation de l'identité nationale. L'historien Marc Bloch a déclaré que pour comprendre l'histoire de France, on doit frémir à la fois à l'évocation du baptême de Clovis et au souvenir de la fête de la Fédération, le 14 juillet 1790. Dans le même registre, on peut aussi citer Jeanne d'Arc, ou plus près de nous : la Révolution, la Commune, le Front populaire, la Libération, Mai 68...

La fonction essentielle de ces mythes est de répondre au besoin de cohésion de notre pays, qui rassemble depuis longtemps des populations aux cultures et aux origines multiples, vivant sur des territoires et sous des climats contrastés. On est français surtout par le désir d'adhérer aux idéaux de la République, à une certaine façon de vivre en société, à un contrat social.

Chez nous, la modernisation du contrat social passe le plus souvent par des ruptures. Et l'on constate que l'identité de la France se révèle particulièrement dans les moments où le pays se révolte.

Ce sont à la fois des périodes de division, de peur pour les classes possédantes, mais aussi de fusion, de maturation pour l'ensemble de la nation. Le Front populaire est un de ces moments-clés.

Au-delà des avancées sociales et culturelles qu'il nous a laissées, la vérité oblige à dire que le mythe du Front populaire a aussi été entretenu par ses acteurs pour faire oublier la non-intervention de la France dans la guerre civile d'Espagne (déclenchée dès juillet 1936) et pour dissimuler que la même Chambre des députés, élue en 1936, a ensuite voté les pleins pouvoirs à Pétain en juillet 1940.

On comprend que la gauche, lorsqu'elle veut entretenir de nouveau l'espoir d'une victoire, préfère cultiver les meilleurs souvenirs de l'époque : les premiers congés payés, les prémices d'une politique culturelle démocratique... Mais, si la description lyrique qu'elle brosse de ce temps continue de provoquer une émotion, c'est que tous ont gardé comme un regret des derniers étés qui pouvaient faire illusion avant la guerre.

Chants de crise (1931-1934)

Tout mouvement a ses origines, et celles du Front populaire remontent au début des années 30 :
- un climat de crise économique, consécutif au krach de Wall Street de fin 1929, dont les effets se sont fait sentir chez nous à partir de 1932 ;
- un chômage croissant, qui n'était pas pris en charge de la même manière qu'aujourd'hui ;
- la montée dans quasiment toute l'Europe, et singulièrement en Allemagne, de mouvements nationalistes voire bellicistes, que l'on regroupait avec plus ou moins de justesse sous le nom de fascistes.

Reflet de son époque et baromètre des sensibilités, la chanson témoigne des espoirs qui ont habité les générations successives de Français. Et l'on constate que les aspirations du Front populaire sont déjà présentes plusieurs années auparavant.
Par exemple dans une chanson créée en 1931 dans le film de René Clair *À nous, la liberté,* dont les héros, incarnés par Raymond Cordy et Henri Marchand, sont deux ouvriers d'une usine de phonographes. La musique est signée Georges Auric, futur sympathisant du Front populaire :

À nous, la liberté !

La liberté, c'est toute l'existence,
Mais les humains ont créé les prisons,
Les règlements, les lois, les convenances
Et les travaux, les bureaux, les maisons.
Ai-je raison ?
Alors disons !
Mon vieux copain, la vie est belle
Quand on connaît la liberté.
N'attendons plus, partons vers elle
L'air pur est bon pour la santé.

refrain
Partout si l'on en croit l'histoire
Partout on peut rire et chanter,
Partout on peut aimer et boire
À nous, à nous la liberté !

Sans quoi faut-il se compliquer la vie
Pour de l'argent se faire des cheveux
Alors qu'on peut suivre sa fantaisie
Quand on est libre, on fait tout ce qu'on veut
On vit heureux selon ses vœux
Mon vieux copain, la vie est douce
Vivons comme vivent les fleurs
Ne pas en fiche une secousse
C'est le vrai secret du bonheur.

au refrain

Il ne faut pas penser au mariage
Quand on est fait pour courir les chemins
En attendant d'être assagis par l'âge
Contentons-nous d'amours sans lendemain
C'est le destin mon vieux copain
Mon vieux copain, la terre est ronde
Les femmes vont de tous côtés
Quand nous verrons le bout du monde
Il sera temps de s'arrêter.

au refrain

(paroles de René Clair - musique de Georges Auric -
éditions Eschig - 1931)

Parmi les éveilleurs de conscience, Gilles et Julien, deux jeunes comédiens issus du théâtre d'avant-garde (la troupe de Jacques Copeau), occupent une place particulière. En 1932, ils se lancent dans une carrière de duettistes avec un esprit anarchiste et satirique qui marquera la décennie. Ils se font remarquer dès l'automne avec une chanson écrite par Gilles intitulée *Dollar*, qu'ils interprètent dans des salles populaires de la capitale comme l'Européen ou l'Empire :

Dollar

De l'autr' côté de l'Atlantiqu'
Dans la fabuleuse Amériqu'
Brillait d'un éclair fantastiqu'
L'Dollar.
Il f'sait rêver les gueux en loqu's

Les marchands d'soupe et les loufoqu's
Dont le cerveau bat la breloqu'
L'Dollar.
Et par milliers, d'la vieille Europ'
Quittant sa ferme son échopp'
Où les bas quartiers interlop's
On part,
Ayant vendu jusqu'à sa ch'mis'
On met l'cap sur la terre promis'
Pour voir le dieu dans son églis'
Le dieu Dollar !

Et déjà dans la brume
Du matin blafard
Ce soleil qui s'allume
C'est un gros dollar.
Il éclaire le monde
De son feu criard
Et les homm's à la ronde,
L'ador'nt sans retard.

On ne perd pas l'nord, vous pensez,
Juste le temps de s'élancer
De s'installer, d'ensemencer
Ça part !
On joue, on gagne, on perd, on triche
Pétrol', chaussett's, terrains en friche
Tout s'achêt', tout s'vend, on d'vient riche,
Dollar !
On met les vieux pneus en conserve
Et même, afin que rien n'se perde,
On fait d'l'alcool avec d'la m...
Dollar !
Jusqu'au bon Dieu qu'on mobilise
Et qu'on débit' dans chaque église
Aux enchèr's comme une marchandise
À coups d'Dollars !

Mais sur la ville ardente
Dans le ciel blafard
Cette figur' démente
C'est le dieu Dollar !
Pas besoin de réclame,
Pas besoin d'efforts,
Il gagne tout's les âmes
Parc'qu'il est en or.

Veinard !...
La vie qui tourn' comme une roue
Vous éclabousse et vous secoue
Il aim' vous rouler dans la boue
Le dieu Dollar.

Quand la nuit sur la ville
Pose son manteau noir,
Dans le ciel immobile
Veill' le dieu Dollar.
Il hante tous les rêves
Des fous d'ici-bas
Et quand le jour se lève
Il est encor là !

On d'vient marteau. Dans leur folie
Les hommes n'ont plus
     qu'une seul' envie
Un suprême désir dans la vie
De l'or.
S'ils s'écoutaient,
     par tout le monde
On en sèmerait à la ronde
Au fond de la terre profonde...
Encor !
On en nourrirait sans relâche
Les chèvr's, les brebis et les vaches
Afin qu'au lieu de lait
     elles crachent
De l'or !
De l'or partout, de l'or liquide
De l'or en gaz, de l'or solide
Plein les cerveaux et plein les bides
Encor ! Encor !

ILLES & JULIEN
Grand Prix du Disque 1933
DISQUES Columbia
Intran Studio

Autos, phonos, radio, machin's,
Trucs chimiqu's pour fair' la cuisine
Chaque maison est une usine
Standard.
À l'aub' dans un' Ford de série,
On va vendr' son épicerie
Et l'soir on retrouv' sa chérie
Standard.
Alors, on fait tourner les disques
On s'abrutit sans danger puisque
On est assuré contre tous risqu's

Mais sous un ciel de cendre,
Vous verrez un soir,
Le dieu Dollar descendre
Du haut d'son perchoir
Et devant ses machines
Sans comprendre encor
L'homm' crever de famine
Sous des montagn's d'or !

(paroles et musique de Jean Villard-Gilles -
éditions Smyth / Méridian - 1932)

L'année suivante, Gilles et Julien, que l'on peut désormais considérer comme les créateurs de la chanson sociale d'auteur, interprètent *Vingt ans*, une chanson violemment antimilitariste, devant des salles aux réactions très contrastées :

Vingt ans

Mesdam's, messieurs, mes chers parents
Tous ceux qui vont avoir vingt ans
Vous présentent bien poliment
Leurs compliments
La vie est là qui les attend
La vie, on dit qu'c'est épatant
Ouvrons la porte à deux battants
Le cœur content
Et devant vous tout droit devant
Regardez bien, gars de vingt ans
Voilà la vie !

Planplan plan plan plan plan plan plan
On voit passer des régiments
Plan rataplan tambour battant
Fermez vos gueul's, serrez les rangs
Marchez la mort est en folie !

Ell' appell' tous ses beaux amants !
Viv' l'armée et l'désarmement !
Nom de Dieu ! si c'est ça la vie
Mesdam's, messieurs, mes chers parents
La vie ne nous fait pas envie
Fallait nous laisser dans l'néant

Dictateurs, tyrans, parlements
Ambitieux, ratés ou déments
Autant en emporte le vent
La nuit vous prend.
Pas une étoile au firmament
Poussé, battu par tous les vents
Des légions de rats dans ses flancs
Le bâtiment
Roule au milieu des éléments
Sa cargaison de morts vivants
Et c'est la vie !

Le peuple gronde sourdement
Pour le calmer : des boniments !
On inaugur' des monuments
On lui fout de beaux enterr'ments
Gloire et fric ! honneur et patrie !
Marchands d'médaill's et d'orviétan

Les goss's derrièr', les morts devant !
Nom de Dieu ! si c'est ça la vie
Mesdam's, messieurs, mes chers parents
La vie ne nous fait pas envie
Fallait nous laisser dans l'néant

Hé ! les gars, les jeun's, les nouveaux
Au fond de cet obscur caveau
Allez-vous crever comm' des veaux
Sous le couteau ?
Il faut vous réveiller les gars
Avant que les sombres gagas
Qui mèn'nt le monde à son trépas

Fass'nt trop d'dégâts
Demain, demain, il s'ra trop tard
Assez de solennels bobards
Sauvons la vie !

Debout, debout, il en est temps
Pour retrouver le grand printemps
Le pays des hommes vivants
Où tous les gars du bâtiment
Délivrés de la tyrannie
Se tendront la main carrément
Et l'pied dans l'cul aux homm's d'argent
Crève donc, vieux monde à l'agonie
Car après ton enterrement
Sur une terre refleurie
Dieu rendra la vie aux vivants.

(paroles et musique de Jean Villard-Gilles -
éditions Smyth / Méridian - 1933)

Salués par la presse de tous bords, l'intelligence, la conviction et le courage dont Gilles et Julien font preuve marquent les esprits. Simone de Beauvoir s'en souviendra dans *La force de l'âge* : "Anarchistes, antimilitaristes, ils exprimaient les claires révoltes, les simples espoirs dont se satisfaisaient alors les cœurs progressistes." Diffuseurs d'idées dissidentes et sociales, ils n'en conserveront pas moins leur indépendance vis-à-vis des partis, syndicats ou associations.

Dans un registre plus directement politique, l'AEAR (Association des Écrivains et Artistes Révolutionnaires), conçue à l'origine comme une section française de l'Union Internationale des Écrivains Révolutionnaires, a été fondée en mars 1932, à l'appel de Paul Vaillant-Couturier, Henri Barbusse, Romain Rolland, Frantz Jourdain… Sa première manifestation publique (contre le fascisme) a lieu le 21 mars 1933, sous la présidence d'André Gide, avec le concours d'André Malraux et de Jean Guéhenno.

Une chorale est bientôt fondée en son sein, qui sous la houlette de Pierre Jamet, se constitue un répertoire militant, avec par exemple *Le chant des chômeurs* :

Le chant des chômeurs

Ils nous ont chassés des usines,
Des bureaux, des magasins
Et quand nos ventres crient famine
Ou qu'la colère crispe nos poings
C'est avec des gourdins qu'les bourgeois
      calm'nt notre faim.
Allons les gars qu'on en termine
      avec leurs bobards patelins !
C'est tout d'suite et non pas demain
Qu'il nous faut du travail et du pain !

Du travail et du pain
C'est notre cri de guerre
Assez ! assez ! assez de la misère
Comme éternel copain.
Du travail et du pain ! des bourgeois font bonn' chère,
Chez nous les vieux, les femm's, les goss's ont faim.
Nos femm's, nos goss's ont faim
Du travail et du pain !
Exigeons, arrachons du travail et du pain
Du travail et du pain !

Cinquante millions par le monde !
Dans les champs, dans les cités
Ils dressent leurs masses profondes
Les sans-pain et les sans-souliers.

Mais de tous les côtés
Grond' la hain' des révoltés :
Nous avons faim, le blé abonde,
Nos maîtres préfèr'nt le brûler.
Nous avons froid, l'charbon s'entasse
Sur le carreau des puits désertés.

au refrain

Trime sans fin, trim' prolétaire,
Sois esclave, mais cré' de l'or :
Ta part, c'est l'inique salaire,
C'est l'os qu'on jette à ton effort.
Mais dans leurs coffres-forts
Les rich's entass'nt des trésors.
Nous laisserons-nous toujours faire ?
Luttons ensembl', nous serons forts.
Pour revendiquer, tous dehors.
Quand le chien a faim, le chien mord !

au refrain

(paroles de Ducamp - musique de Robert Caby -
éditions de l'AEAR - 1933)

Le fleuron du répertoire de la chorale de l'AEAR
est assurément *Au-devant de la vie,* une musique
composée à la manière d'un thème populaire
par Dimitri Chostakovitch pour un film sovié-
tique de 1932 intitulé *Contre-plan.*
Édité en feuille séparée, cet hymne est traduit en
1933 par Jeanne Perret et connaîtra un succès
durable, notamment dans les mouvements de
jeunesse :

Ma blonde entends-tu dans la ville
Siffler les fabriques et les trains ?
Allons au-devant de la bise
Allons au-devant du matin
Debout ma blonde, chantons au vent !
Debout amis !
Il va vers le soleil levant
Notre pays.

(paroles de Jeanne Perret - musique de Dimitri Chostakovitch -
éditions ESI - 1933)

Tout va bien, tout va bien
Qu'on se le dise !
Tout va bien,
Ne pensons plus à la crise.
Si nous savons la prendre avec gaîté
Ce n'est plus qu'une crise d'hilarité.
Tout va bien
Voilà quelle est ma devise…

(paroles de Jean Boyer - musique de Maurice Yvain -
éditions Salabert - 1933)

Quelques mois plus tard, en 1934, Albert Préjean partage l'affiche du film *La crise est finie* avec la jeune Danielle Darrieux. Ils jouent les deux vedettes d'un spectacle de music-hall et interprètent en duo la chanson-titre :

La crise est finie, la crise est finie !
Nous vivons dans l'âge d'or !
La crise est finie, la crise est finie !
Ah ! crions-le bien fort !

(paroles de Jean Lenoir et Max Colpé - musique de Jean Lenoir et Frantz
Waxman - éditions Salabert - 1934)

Dans la chanson populaire, la période est d'ailleurs fertile en refrains à connotation sociale. Lors de la création de la Loterie Nationale, fin 1933, le comique Perchicot entonne *Si j'gagnais les cinq millions* :

Si j'avais la veine
D'gagner les cinq millions
Dans ma vie quotidienne
Quelle transformation !

(paroles de Marc-Hély - musique de René Mercier -
éditions Salabert - 1933)

Au même moment, Georges Milton, incarnation du Français moyen goguenard, chante dans le film *Nu comme un ver* ce refrain digne du Dr Coué, *Tout va bien :*

L'année 1934 sera marquée par le succès d'*Amusez-vous*, une chanson tirée de l'opérette *Florestan Ier prince de Monaco*, donnée au théâtre des Variétés. Henri Garat y entonne depuis décembre 1933 ce refrain qui sera repris par une foule d'orchestres et de chanteurs populaires :

Amusez-vous
Foutez-vous d'tout !
La vie entre nous est si brève
Amusez-vous
Comme des fous !
La vie est si courte après tout !

(paroles d'Albert Willemetz - musique de Werner-Richard Heymann - éditions Salabert - 1933)

Dans un registre plus littéraire, il faut ici faire intervenir le personnage de Marianne Oswald. Elle fut l'introductrice en France, à partir de 1932, de l'esthétique du cabaret berlinois, où elle avait fait ses premiers pas au cours des années 20. Pétroleuse inspirée par Brecht, avec sa voix écorchée et sa tignasse de feu, elle interprète Kurt Weill, André Mauprey, Hanns Eisler, Jean Tranchant… Ses apparitions au music-hall déclenchent des scandales, mais elle bénéficie du soutien de personnalités comme Jean Cocteau qui lui offrira plusieurs chansons. Elle se fait surtout remarquer avec *Le jeu de massacre*, écrit sur mesure par un certain Henri-Georges Clouzot qui n'a pas encore fait parler de lui comme cinéaste :

Le jeu de massacre

Accourez tous au jeu de massacre,
La douzain' de balles pour vingt sous !
Arrêtez-vous les pauvres gens,
Les petits, les ratés, les sans-pain,
Arrêtez-vous les sans-talent,
Les sans-lit, les sans-toit, les sans-rien…
Pour vous venger de vos blessures,
Pour vous venger de vos malheurs,
Pour soulager vos meurtrissures,
Pour chasser toutes vos rancœurs,

refrain
Hop-là, boum ! dans la bell' mère,
Hop-là, boum ! dans le marié
Hop-là, boum ! dans le notaire
Hop-là, boum ! dans le banquier…
Hop-là, boum ! dans la bell'-mère,
Hop-là, boum ! dans le marié
Hop-là, boum ! dans le notaire
Hop-là, boum ! dans le banquier…
C'est le massacre des pantins innocents
Ah ! visez bien leurs pauvres gueules
Puisque vous êtes tous trop veules
Pour taper sur les puissants

Regardez-les mes vieux pantins,
Eclopés, œil en moins, nez cassé,
Déjà sur eux les purotins
Ont frappé comme des insensés.
Le général a eu l'oreill'
Fendu' par un simple troufion,

MARIANNE OSWALD
Exclusivité
Columbia
Alban

Tous mes amants m'ont fait souffrir.
Encor meurtrie d'autres caresses
Ils m'ont fait mal à en mourir.

refrain
Hop-là, boum ! dans la poitrine
Hop-là, boum ! dans l'palpitant
Hop-là, boum ! dans la bobine
Hop-là, boum ! tiens dans les dents !
Hop-là, boum ! dans la poitrine
Hop-là, boum ! dans l'palpitant
Hop-là, boum ! dans la bobine
Hop ! la, boum, tiens dans les dents !
C'est le massacre des pantins innocents
Ah ! visez bien nos pauvres gueules
Puisque vous êtes tous trop veules
Pour taper sur les puissants

Variante écrite par Jean Villard,
interprétée par Gilles et Julien :

Et nous aussi, vivants guignols
Nous avons récolté bien des coups
Héros obscurs... Quelle torgnole
Quand l'arrière nous gueulait " Jusqu'au bout ! "
Va jusqu'au bout de ta misère
Va jusqu'au bout du désespoir
Dans le charnier sanglant des guerres
Hardi, guignol ! vers le trou noir

refrain
Hop-là, boum ! dans la calebasse
Hop-là, boum ! tiens, dans les dents
Hop-là, boum ! dans la carcasse
Hop-là, boum ! dans l'palpitant
Hop-là, boum ! ...
Hop-là, boum ! ...
Hop-là, boum ! ...
Hop-là, boum ! ...
C'est le massacre des pantins innocents
Ah ! visez bien nos pauvres gueules
Puisque nous sommes tous trop veules
Pour taper sur les puissants

Le magistrat, grande merveille
Boit' comm' la constitution

refrain
Hop-là, boum ! dans monsieur l'maire
Hop-là, boum ! dans l'aristo
Hop-là, boum ! dans l'militaire
Hop-là, boum ! dans le bourreau
Hop-là, boum ! dans monsieur l'maire
Hop-là, boum ! dans l'aristo
Hop-là, boum ! dans l'militaire
Hop-là, boum ! dans le bourreau
C'est le massacre des pantins innocents
Ah ! visez bien leurs pauvres gueules
Puisque vous êtes tous trop veules
Pour taper sur les puissants

Et moi aussi, vivant guignol,
J'ai comme eux récolté bien des coups.
T'en souviens-tu ? bel Espagnol,
Mon amour si cruel et si doux.
Pour se venger d'autres maîtresses,

(paroles de Henri-Georges Clouzot - musique de Maurice Yvain -
éditions Max / Breton - 1933)

La constitution du Rassemblement populaire

Si le contexte appelle à une émergence des revendications sociales, il manque encore le facteur déclenchant. Ce sera l'émeute due à la démonstration de force des ligues d'extrême droite à Paris (parmi lesquelles les Croix-de-Feu, une ligue d'anciens combattants fondée par le colonel de La Roque dont les effectifs sont considérables), le 6 février 1934, qui provoque une prompte réponse des partis de gauche :
- le 9 février : première contre-manifestation des seuls communistes ;
- le 12 février : manifestations organisées en province et à Paris (du cours de Vincennes à la Nation) par les socialistes ; les communistes rejoignent le cortège au cri de "Unité d'action" et sur le thème : "Le fascisme ne passera pas". Naît alors l'idée d'un "Front uni antifasciste" qui regroupe les militants socialistes et communistes, lesquels se recrutent en nombre chez les chômeurs.

Ce rapprochement entre les deux grands partis de gauche qui s'opposent violemment depuis leur séparation au Congrès de Tours en 1920, la SFIO (Section Française de l'Internationale Ouvrière) et le PCF (Parti Communiste Français), constitue les prémices du Front populaire.
Au printemps 1934, un Comité de Vigilance des Intellectuels Antifascites (CVIA) est créé, ainsi que la revue *Vigilance.* Selon la définition de l'historien Pascal Ory, on entend par intellectuels tous les professionnels de la création, de la médiation et du savoir-faire technique.
Nombre de personnalités rejoignent le CVIA, qui permet de rassembler des intellectuels isolés, de former des militants et de les guider vers les organisations ouvrières. Fort de ses milliers de membres à travers la France, le Comité jouera un rôle déterminant dans la politisation des

intellectuels, étape vers l'engagement au sein d'associations culturelles.
L'élan de février se concrétise de façon plus formelle l'été suivant, lorsqu'un pacte d'unité d'action est signé entre le PC et la SFIO, le 27 juillet 1934. Staline, échaudé par l'échec du mouvement ouvrier allemand incapable faute

d'unité de contrer l'ascension d'Hitler, s'est rallié à l'idée de l'Union et a permis au parti français, membre de l'Internationale communiste, de la concrétiser.

Les radicaux, jusqu'alors réticents, rejoignent à leur tour le Front commun le 12 mai 1935, lors des élections municipales. De nombreuses mairies sont alors gagnées, notamment en banlieue parisienne, où commence à se dessiner la "ceinture rouge".

Il ne reste dès lors qu'à sceller cette union par une grande fête populaire. Ce sera fait le 14 juillet 1935, avec le serment du Rassemblement populaire à la Bastille, devant 500 000 participants représentant toutes les formations de gauche : les socialistes (menés par Léon Blum), les communistes (par Maurice Thorez) et les radicaux (par Édouard Daladier)… Nombre de formations syndicales et d'associations intellectuelles participent au défilé.

Dans un discours prononcé le 12 octobre 1935, le communiste Marcel Cachin crée l'expression "Front populaire" (les socialistes parleront pour leur part de "Rassemblement populaire" jusqu'au 5 juin 1936).

Un nouveau slogan naît peu après : "La paix, le pain, la liberté" et de nombreuses chansons de rues militantes célébreront l'événement.

↑ 14 juillet 1936, défilé à Paris

C'est le Front populaire

C'est le Front populaire
Celui de tous les prolétaires
Réclamant un monde meilleur
Et pour tous un peu de bonheur
La faim, l'esclavage et la guerre
Il saura les vaincre à jamais
Ce que veut le Front Populaire :
La liberté, le pain, la paix.

(paroles de René Vilhiane et Henri Charpentier - musique de Maurice
Guillon et Albert Carrara - éditions H. Charpentier - 1936)

Pour le pain, la paix, la liberté

Debout ! Debout ! Les prolétaires
Hommes de toutes conditions
Ceux de l'usine et de la terre
De nous dépend l'évolution
Nous devons vaincre la misère
Dans un lien de fraternité
Allons debout, unissons-nous
Le pain, la paix, la liberté

(paroles de Marcel-Albert Rousseaux - musique de Charles Desrieux -
éditions Rousseaux - 1936)

Marcel CACHIN   Léon BLUM   E. DALADIER

Moins univoque, la chanson populaire témoigne aussi à sa manière des préoccupations du temps. Plusieurs succès de l'année 1935 évoquent les effets de la crise économique. Ainsi *Maman, ne vends pas la maison*, interprété par les jeunes duettistes Charles (Trenet) et Johnny (Hess), ou bien le Petit Mirscha :

La maison est à vendre
La maison est à prendre
Ils veulent vendre la maison
Y a même un écriteau pour dir' ces mots :
À vendre
(…)
Je sais qu'la vie est dure
Papa n'fait plus d'peinture
Il travaille jusqu'à minuit
Je sais qu'tu n'as plus beaucoup d'argent
Comme avant.

(paroles de Charles Trenet - musique de Johnny Hess -
éditions Breton - 1935)

Par ailleurs, le besoin de liberté des salariés, qui pour l'heure se résume au repos hebdomadaire, est chanté par Mireille et Jean Sablon dans *Fermé jusqu'à lundi* :

Pendant toute la semaine
Enfermé dans le bureau
On attrape la migraine
On travaille beaucoup trop.
Mais la fin de la s'maine s'amène
On dit : Ça n'est pas trop tôt
Quand on a pris tant de peine
De prendre un peu de repos.

(paroles de Jean Nohain - musique de Mireille -
éditions Desmons / Breton - 1935)

Le programme commun du Rassemblement populaire est publié le 12 janvier 1936. Il comporte pour l'essentiel des mesures de clarification d'une situation sociale et politique où, en ces années 30, la confusion et les compromissions prédominent : dissolution des ligues d'extrême droite ; défense de l'école laïque et des droits syndicaux ; création de fonds de chômage ; publication des bilans de la presse quotidienne ; pas de déflation ni de dévaluation ; réforme de la Banque de France (nationalisation des actions des "200 familles" désignées comme les plus riches de France) ; nationalisation des industries de guerre…
Une étape supplémentaire est franchie lorsque aboutit en mars 1936 la réunification des deux centrales syndicales rivales (la socialiste CGT et la communiste CGTU) en une seule CGT.

À la fois proche des forces de gauche et lié à aucune d'entre elles, le duo Gilles et Julien est habitué des réunions chantantes du Front populaire. Tous deux continuent de cultiver un répertoire sans concession, anticapitaliste, pacifiste et souvent satirique, dans des prestations que certains témoins qualifieront de jubilatoires. Outre leurs jeux de scène complémentaires et un contact direct avec le public, ils se démarquent des autres artistes par une tenue noire très sobre : maillot de marin et large pantalon, qui met en valeur les visages, les mains et le clavier du piano tenu par Gilles.

Début 1936, ils lancent *La belle France,* un refrain dont la mélodie évoque subtilement les hymnes de la Révolution française. Il connaîtra une vogue certaine grâce aux chansons-tracts distribuées sur la voie publique par les syndicats en mars-avril. Gilles et Julien ne l'enregistreront que fin 1936, pour leur dernier disque commercialisé, comme une sorte de testament artistique – la séparation du duo interviendra en effet à la fin de 1937 :

La belle France

Mais entendez-vous monter
Du fond du grand silence
Cet appel, la riguedondé !
De tous les déshérités,
Assez de souffrances !
Mur d'argent, obscénité,
Ombre sur la France !
On te refera sauter,
Un jour patience !
Liberté, égalité !
Ces grands noms qui t'offensent
Redeviendront vérité !

(paroles et musique de Jean Villard-Gilles -
éditions du Petit Duc / Billaudot - 1935)

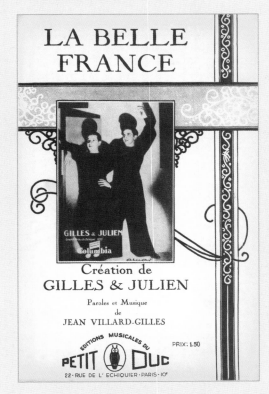

Au diapason de cet élan, le vieux poète militant socialiste Eugène Bizeau écrit toujours des chansons d'espoir : *Vers le bonheur, Soleil levant,* etc., qui sont publiées par La Voix des nôtres, maison d'édition et marque de disques socialiste.

Le mouvement des intellectuels

La particularité du Rassemblement populaire, au-delà d'une coalition électorale classique, est de fédérer de nombreuses associations culturelles qui se sont construites au fil des ans, dont on peut citer les principales : la Ligue de l'enseignement, née à la fin du XIXe siècle et refondée en 1925 sous le nom de Confédération générale des œuvres laïques ; la CTI (Confédération des Travailleurs Intellectuels), fondée en 1920 ; l'AEAR (Association des Écrivains et Artistes Révolutionnaires), déjà nommée, qui laisse la place vers 1935 à la Maison de la Culture, siégeant à Paris et dans les grandes villes de France, ; la FMP (Fédération Musicale Populaire), créée en 1935 à l'initiative de Paul Vaillant-Couturier, qui dépend de la Maison de la Culture, destinée à soutenir le développement des chorales populaires et ouvrières.

L'originalité du Front populaire résidera donc dans la convergence d'un double mouvement : l'engagement dans le culturel des hommes politiques (en particulier liés au PC) ; l'engagement dans la politique des hommes de culture (en particulier de poètes et de compositeurs).

C'est aussi le cas de cinéastes comme Jean Renoir, lequel tourne en 1936 *La vie est à nous,* un moyen métrage de propagande pour le Parti communiste. On peut y entendre les jeunes membres du Groupe Mars interpréter *Au-devant de la vie.*

Autre signe de ce mouvement d'ensemble : des poètes appelés à une grande popularité qui, dans le sillage de l'AEAR, mettent leur talent au service du Rassemblement populaire.

D'abord Louis Aragon. Figure du PC, il produit aussi quelques textes de chansons. Le premier, *Han ! coolie,* anticolonialiste, est une traduction de l'Allemand Fritz Hoff, qui sera mise en musique par Paul Arma :

Han ! coolie ! Han !
Cueille le chanvre vif ou mort
Han ! coolie ! Han !
Traîne le chanvre à bord.
(paroles de Louis Aragon - musique de Paul Arma - éditions Publirime - vers 1934)

Il écrit ensuite un texte original, *La nouvelle ronde,* qui appelle à la fondation d'une nouvelle Commune pour renverser l'univers bourgeois et arrêter la peste brune, autrement dit le fascisme :

Contre les voleurs de grand monde
Ligués pour t'arracher ton grain
Nous formons la nouvelle ronde
Donne-nous la main camarade
Donne-nous la main ! (bis)
(paroles de Louis Aragon - musique de Paul Arma - édition ESI - 1934)

↑ Louis Aragon

Outre Aragon – qui deviendra en 1935 le secrétaire général de la Maison de la Culture –, le poète qui a le plus servi la cause du Rassemblement populaire est sans nul doute Jacques Prévert. En 1933, il a fondé le Groupe Octobre, lequel est rattaché à la FTOF (Fédération du Théâtre Ouvrier de France, constituée en 1931 comme section française de l'Union internationale du théâtre ouvrier). Son objectif est de s'adresser à tous ceux que la société capitaliste exclut du théâtre, voire de chasser le répertoire bourgeois des spectacles destinés aux ouvriers. Il faut, selon lui, dans le fond comme dans la forme, parler la langue du peuple.

Prévert écrit la plupart des textes et participe lui-même aux spectacles du Groupe, en compagnie d'une troupe de très jeunes comédiens amateurs : Maurice Baquet, Raymond Bussière, Yves Deniaud, Jean-Paul Le Chanois, Paul Grimault, Fabien Loris... auxquels s'adjoignent de façon occasionnelle : Jean-Louis Barrault, Sylvia Bataille, Roger Blin, Agnès Capri, Gilles Margaritis, les frères Mouloudji, Jean Rougeul... La production du Groupe, modèle de troupe engagée qui établit un lien vivant entre l'actualité et son travail théâtral, est d'une grande

densité jusqu'à l'été 1935 : pièces, danses mimées, actualités parlées, chœurs parlés ou chantés... Plusieurs poèmes de Prévert, déjà mis en musique ou non, sont créés dans ce cadre : *La pêche à la baleine, À la belle étoile* et surtout *Marche ou crève*. Ce dernier texte, mis en musique par Louis Bessières, raconte le refus des soldats déplacés à travers le pays de tirer sur des frères travailleurs qui font grève. Modifié à plusieurs reprises, ce morceau de bravoure devient en quelque sorte l'hymne du Groupe Octobre :

Marche ou crève, marche ou crève, où allons-nous ?
Nous allons dans l'nord on a besoin d'nous...
Nous on est du sud, pourquoi y allons-nous ?
Nous allons dans l'nord parce qu'il y a des grèves...
Marche ou crève, marche ou crève, marche ou crève !

(paroles de Jacques Prévert - musique de Louis Bessières - 1932-36)

Une sorte d'apothéose créatrice, *Le tableau des merveilles* – divertissement en deux actes de Cervantès adapté par Prévert, créé en janvier 1936 à la Maison de la Culture, qui sera repris dans les grèves de juin et enfin à la Mutualité en juillet –, marque la fin de l'activité du groupe. Car ses membres commencent les uns après les autres à se professionnaliser. De plus, tandis que la ligne politique du PC se modère à mesure que son pouvoir augmente – Maurice Thorez déclare à Radio-Paris le 17 avril 1936 : "Nous te tendons la main, catholique" –, Prévert et certains membres du Groupe restent sur des positions anarchisantes (antimilitaristes et anticléricales) et leur répertoire n'est plus adapté à l'esprit des fêtes communistes ou syndicales.

Avec la dispersion du Groupe Octobre à l'automne 1936, Prévert écrira de nouveaux poèmes à résonance sociale qui seront interprétés et enregistrés par Marianne Oswald, laquelle bénéficie désormais du soutien de la critique de gauche (en particulier Jean Cassou et Louis Aragon) : *La chasse à l'enfant* (musique de Joseph Kosma - 1936), *Toute seule*

(m : Kosma - 1936), *Les bruits de la nuit* (m : Kosma - 1937) et surtout *La grasse matinée* :

Il est terrible le petit bruit de l'œuf dur
    cassé sur un comptoir d'étain,
Il est terrible ce bruit quand il remue
    dans la mémoire de l'homme qui a faim !
Elle est terrible aussi la tête
    de l'homme qui a faim !

(paroles de Jacques Prévert - musique de Joseph Kosma - 1937)

D'autres, franchement antimilitaristes, seront adoptés par Gilles et Julien : *Histoire du cheval* (musique de Joseph Kosma - 1937), *Familiale* (m : Joseph Kosma - 1937).
Certaines des œuvres de Prévert moins directement politiques *(Adrien, Quand tu dors, La pêche à la baleine)* iront à Agnès Capri, l'autre chanteuse d'avant-garde des années 30, ancienne militante de la FTOF et membre du PCF, qui a débuté comme comédienne puis dans le tour de chant début 1936 et qui ouvrira en 1938 à Paris le premier "cabaret-théâtre".

La victoire au printemps

La disparition du Groupe Octobre est donc une conséquence inattendue de l'arrivée au pouvoir du Front populaire. Celle-ci résulte des élections législatives de 1936 (les 26 avril et 3 mai) : les gains de la gauche, par rapport au scrutin de 1932, sont assez minimes. Le PC progresse, les socialistes se maintiennent, les radicaux perdent des voix ; mais grâce à leur accord électoral, les trois partis remportent 358 sièges contre 222. Cette victoire fait naître une formidable bouffée d'espoir, notamment au Parti Communiste dont les adhésions se multiplieront tout au long de l'année 36 : il devient rapidement le premier parti du pays et le mieux implanté en région parisienne.

Jules Hubert, un auteur-éditeur de chansons de rues sympathisant des causes sociales, célèbre l'événement à sa façon : selon la coutume des chansons d'actualité, il utilise pour écrire les paroles de *La victoire du Front populaire* une musique connue – en l'occurrence celle de *Gloire au 17e*, l'hymne écrit en 1907 par le chansonnier humanitaire Montéhus qui figure toujours au répertoire des militants de gauche :

La victoire du Front populaire

refrain

En chœur, amis chantons,
La victoir' du Front populaire !
C'est, dans l'humble maison,
L'espoir de vaincre la misère.
Fini, les profiteurs !
Car, dans un geste magnifique,
Nos élus partent, pleins d'ardeur,
Pour bâtir la vraie République !

La vie chère et presque pas d'ouvrage,
Des voleurs, des jongleurs de millions,
À cela le peuple a fait barrage
En votant pour les homm's du Front.
Il a compris qu'fallait qu'ça change,
Sans hésiter il s'est uni !
Tant pis pour tous ceux que ça dérange,
Nous leur crions : Écoutez bien ceci.

au refrain

On nous a servi de bell's paroles,
Puis aussi de jolis décrets-lois,
Des fascist's, pour nous casser la … fiole.
Oui, Messieurs, nous avons tous vu ça !
Peu s'en fallut qu'la République
Fass' le grand saut à tout jamais,
Pour cela, certains homm's politiques
Avaient trouvé l'accord le plus parfait.

au refrain

(paroles de Jules Hubert - musique de Raoul Chantegrelet et Raoul Doubis - éditions Hubert - 1936)

Une "explosion sociale" (expression imaginée quelques mois après par le journaliste historien Lucien Romier) se déclenche à partir du 12 mai 1936, des grèves se multiplient, avec une forte part de spontanéité revendicative dans leur démarrage. L'extrême gauche de la SFIO, les trotskystes et les anarchistes y cherchent un comportement inconsciemment révolutionnaire. Soutenus par la CGT, les travailleurs veulent en tout cas que les mesures sociales figurant au programme du Front populaire – et d'autres – soient appliquées au plus vite.

La philosophe Simone Weil se souviendra : "Joie de parcourir ces ateliers où on était rivé sur la machine, d'entendre, au lieu du fracas impitoyable des machines, de la musique, des chants, des rires. Joie de passer devant les chefs la tête haute. Joie de vivre, parmi les machines muettes, au rythme de la vie humaine."
Une culture de la grève se développe, associée à des images (photos ou films) qui alimenteront la future mythologie du Front populaire évoquée en introduction : usines occupées, artistes renommés qui se produisent pour les grévistes, bals musette improvisés…

Le tube des grévistes n'est d'ailleurs pas une chanson politique, mais une rumba lascive créée par Tino Rossi dans le film *Marinella* et que ce dernier a enregistrée en mars 1936 :

Marinella !
Ah… reste encore dans mes bras,
Avec toi je veux, jusqu'au jour,
Danser cette rumba d'amour
Son rythme doux
Nous emporte bien loin de tout
Vers un pays mystérieux
Le beau pays des rêves bleus.
(paroles de René Pujol,
Émile Audiffred et Géo Koger -
musique de Vincent Scotto -
éditions Salabert - 1936)

À la réflexion, il est beaucoup plus subversif pour les grévistes de s'approprier ce genre de refrain apparemment inoffensif, mais en réalité très incongru dans les ateliers ou les usines, que d'entonner des chansons militantes attendues.

D'une manière générale, les auteurs de chansons populaires restent muets pour la plupart devant le soulèvement social ; à l'exception d'un morceau d'anthologie, *La grève de l'orchestre*, une chanson-sketch enregistrée par Ray Ventura et ses Collégiens en 1936, qui tourne en dérision les événements :

La grève de l'orchestre

un musicien
Monsieur le chef ma voix s'élève
Pour vous annoncer sans façons
Que nous allons nous mettre en grève
Ce que nous voulons, nous l'aurons !
le chef
Mes chers amis vous aurez
Tout ce que vous désirez
tous
C'est pas assez
le chef
Voulez-vous être augmentés
De mill' francs ? vous acceptez ?
tous
C'est pas assez
un musicien
L'argent on s'en fiche, nom d'un' pipe !
Chef, c'est une question de principes !
le chef
Voulez-vous un an d'repos
Et le droit d'parler argot ?
tous
Ça c'est de trop !
un musicien
Être menés à la baguette
Chef, cela ne nous convient pas !
Occupant toutes les banquettes,

Nous allons coucher sur le tas !

le chef

Mes chers amis vous aurez
Tout ce que vous désirez.

tous

C'est pas assez !

le chef

Quand ici vous dormirez
Vos femm's pourront vous veiller.

tous

C'est pas assez !

un musicien

Nos femmes ? quelle erreur est la vôtre !
Nous préférerions celle des autres !

le chef

Voulez-vous Ninon d' Lenclos
Et la Vénus de Milo ?

tous

Ça, c'est de trop !

le chef

Messieurs, vous n'êtes pas commodes !
Vous protestez pour quell' raison ?

un musicien

D'abord parce que c'est la mode
Et puis pour embêter l'patron !

le chef

Mes chers amis vous aurez
Tout ce que vous désirez.

tous

C'est pas assez !

le chef

Voulez-vous êtr' commandeurs
Tous de la légion d'honneur ?

tous

C'est pas assez !

le chef

Songez au revers de la médaille
Il n'y a ici qu'moi qui travaille !

un musicien

Soit ! nous l'avouons bien haut :
Vous travaillez du chapeau !

tous

Ça, c'est de trop !

(paroles de Jean Vorcet - musique de Henri Himmel -
éditions Benjamin - 1936)

Le 4 juin, Léon Blum, qui respectait les formes constitutionnelles, devient enfin Président du Conseil et forme un gouvernement qui allie tous les partis de gauche. Son premier soin, dans son allocution radiodiffusée le soir du 5 juin, est de répondre à l'appel des ouvriers – il y a alors 500 000 grévistes à travers la France. Il exhorte à la reprise du travail, sans succès. La solution des congés payés, qui ne figurait pas au programme du Front populaire mais dans les revendications des grévistes, est retenue par Blum pour faciliter les négociations et sortir des grèves qui pourraient devenir révolutionnaires.

C'est le moment que choisit Montéhus pour revenir sur le devant de la scène. Il s'était illus-

tré surtout avant la Grande Guerre par des chansons sociales revendicatives "lancées dans le peuple", selon sa propre formule, et dont certaines sont restées dans les mémoires des militants de gauche : *Gloire au 17e*, déjà cité, mais aussi *La grève des mères* ou *Le chant des jeunes gardes*. À 64 ans, galvanisé par les événements, il écrit plusieurs monologues (*Le décor va changer*, *Le cri des grévistes*, *L'espoir d'un gueux*) et une chanson (*Vas-y Léon*), vibrante adresse à Léon Blum en forme de programme politique, qu'il enregistre lui-même en juin 1936 :

Vas-y Léon, défends ton ministère
Vas-y Léon, faut qu'Marianne ait raison.
Car Marianne est une meunière
Et les ailes de son moulin moulin
Doivent tourner pour les prolétaires
Pour qu'les gueux ne crèvent plus de faim,
        de faim, de faim.

(paroles de Montéhus - musique de Raoul Chantegrelet - éditions Krier - 1936)

Les 7 et 8 juin, Blum réunit les chefs syndicaux et les responsables du patronat. Suit la signature des accords de Matignon, qui préconisent d'importantes hausses de salaire (7 à 15 %), le respect des libertés syndicales, l'établissement de conventions collectives et la nomination de délégués du personnel. Ces accords, qui n'ont pas statué sur la question de la semaine de 40 heures ni sur celle des congés payés, ne mettent pas fin aux grèves, au contraire… On compte désormais jusqu'à un million de grévistes : du jamais vu !

Plusieurs projets de loi sont alors déposés à la Chambre le 9 juin. Dans un délai record, la loi accordant pour la première fois des congés payés obligatoires aux ouvriers (15 jours dont 12 ouvrables), votée le 11 par les députés à l'unanimité moins une voix, puis le 17 par le Sénat, est promulguée le 20 juin ; une autre instituant la semaine de 40 heures "dans les établissements industriels et commerciaux" l'est le 21 (cette fois, une partie des députés de droite a voté contre).

0 fr. 25 — Edition de Paris

L'ŒUVRE

9, Rue Louis-le-Grand (2e)
Adr. Tél. : Œuvre-Paris

Fondateur : GUSTAVE TÉRY
Nos 7.553-7.554. — Samedi 6 juin 1936

Tél. : Opéra 65-00 et la suite
Chèque Postal : No 1046

Le 4 août, il était déjà trop tard.

M. LEON BLUM ANNONCE DES ACTES

La déclaration ministérielle sera lue aujourd'hui à la Chambre et au Sénat

Une série de projets sur les quarante heures les contrats collectifs, les congés payés la nationalisation des industries de guerre l'Office du blé et la réforme de la Banque de France ont été approuvés hier soir par le Conseil de cabinet

LES DÉCRETS-LOIS LES PLUS INJUSTES VONT ÊTRE RAPIDEMENT ABROGÉS

Et voici déjà neuf interpellations...

Le premier conseil de cabinet du gouvernement

Constitué jeudi soir, publié hier matin à l'Officiel, le nouveau ministère se présente aujourd'hui devant les Chambres.

M. Léon Blum, en effet, est résolu à faire vite.

Pendant des semaines, au cours des conférences du quai de Bourbon, les projets de loi ont été mis au point. Le programme du Front populaire s'inscrit aujourd'hui dans des textes précis, motivés et rédigés. Il ne s'agit plus que de passer à l'exécution.

La lecture de la déclaration d'usage ne demandera pas plus d'un quart d'heure. Elle sera, promet-on, à la fois vigoureuse et persuasive.

Quant aux premiers actes, ils s'appelleront : semaine de quarante heures, contrats collectifs de travail, congés payés, prolongation de la scolarité, nationalisation des industries de guerre, création d'un Office du blé, réforme du statut de la Banque de France. Sans oublier l'abrogation des décrets-lois frappant les fonctionnaires et les victimes de la guerre, en commençant par les plus injustes...

Et ce ne sont pas des projets qui iront rejoindre les autres dans les cartons de la Chambre ou du Sénat... En termes nets, le gouvernement de Front populaire invitera le Parlement à voter cette « tranche » tout de suite, c'est-à-dire avant de partir en vacances.

Des résistances ? On verra bien.

Cet après-midi, MM. Fernand-Laurent, Montigny, Paul Reynaud, Le Cour Grandmaison, Xavier Vallat, Dommange, Trémintin, Louis Marin et Emile Perrein ouvriront le feu des interpellations. M. Léon Blum répondra, et peut-être M. Lebas. Puis la majorité se comptera.

Malgré les difficultés de la situation, ministres et sous-secrétaires d'Etat — ils étaient tous là, hier soir, au Conseil de cabinet, à l'exception de Mme Joliot-Curie, actuellement en Angleterre — s'affirment résolument optimistes.

Il semble, en tout cas, que les semeurs de panique et les provocateurs ne jouiront sans doute pas longtemps de cette aimable liberté de manœuvre à laquelle ils sont habitués.

Et M. Salengro, aux applaudissements du groupe socialiste, a donné à entendre déjà qu'à l'Intérieur le mot « autorité » prendrait, s'il le faut, son plein sens...

André Guérin.

Le Syndicat de la Presse Parisienne, qui groupe la presque totalité des journaux de Paris, a pris, jeudi soir, la résolution de ne pas publier leurs éditions du matin et du soir du vendredi 5 juin.

Or, six journaux parisiens ont passé outre à cette décision.

Dans ces conditions, l'*Œuvre* reprend sa liberté et, dans la mesure où les circonstances le permettront, nous essayerons d'assurer au moins partiellement la publication du journal.

Nous nous excusons une fois de plus auprès de nos abonnés et lecteurs, notamment de banlieue et des départements, qui, depuis deux jours, sont privés de leur journal.

Nous ferons ultérieurement connaître à nos abonnés de quelle façon nous compenserons le préjudice bien involontaire que nous leur avons causé.

BEAU TRAVAIL

— Cette fois, les atrocités commencent : songez que j'ai dû raugmenter ma femme de ménage de 0 fr. 25 !

RACCOURCIS

Au congrès de l'Association amicale de la Magistrature, M. Adrien Sée a revendiqué pour les Magistrats républicains une place éminente dans l'Etat.

D'accord !... Vivent les magistrats républicains !... Mais, à propos, combien sont-ils ?...

Ou plutôt : combien étaient-ils avant les élections ?... Et combien seront-ils après la constitution du gouvernement de Front Populaire ?

Une idée : nous demandons aux Magistrats républicains de faire la grève sur le tas (sur le tas de dossiers...) jusqu'à ce qu'ils aient obtenu cette revendication immédiate : la mise à la retraite du P. P. D. Lescouvé.

Allez-y, les salopards en toque !... Comptez-vous quatre !

L'OUVRIER.

Le président du Conseil s'adresse au pays

Voici le texte de l'allocution de M. Léon Blum, radiodiffusée hier, à midi 30 :

Le gouvernement de Front populaire est constitué.

Appelé hier à 6 heures du soir par M. le Président de la République, je lui ai remis séance tenante la liste de mes collaborateurs.

Le gouvernement se présentera dès demain devant les Chambres. Dès aujourd'hui, il veut prendre contact avec le pays. Son programme est le programme du Front populaire. Parmi les projets dont il annoncera le dépôt immédiat, et qu'il demandera aux deux Chambres de voter avant leur séparation, figurent la semaine de 40 heures, les contrats collectifs, les congés payés, c'est-à-dire les principales réformes réclamées par le monde ouvrier.

Il est donc résolu à agir avec décision et rapidité pour les travailleurs de la terre comme pour les travailleurs des usines. Il fera tout son devoir. Il ne manquera à aucun des engagements qu'il a pris, mais sa force réside avant tout dans la confiance qu'a mise en lui le peuple de France, et il en réclame aujourd'hui le témoignage aux millions d'électeurs qui l'ont porté au pouvoir.

L'action du gouvernement, pour être efficace, doit s'exercer dans la sécurité publique. Elle serait paralysée par toute atteinte à l'ordre, par toute interruption dans les services vitaux de la nation ; toute panique, toute confusion serviraient les desseins obscurs des adversaires du Front populaire, dont certains guettent déjà leur revanche.

Le gouvernement demande donc aux travailleurs de s'en remettre à la loi pour celles de leurs revendications qui doivent être réglées par la loi, de poursuivre les autres dans le calme, la dignité et la discipline. Il demande au patronat d'examiner ces revendications dans un large esprit d'équité. Il déplorerait qu'une tactique patronale d'intransigeance parût coïncider avec son arrivée au pouvoir.

Il demande enfin au pays tout entier de conserver son sang-froid, de se défendre contre les exagérations crédules et les rumeurs perfides, d'envisager avec la pleine maîtrise de lui-même une situation déjà dramatisée par les observateurs malveillants de la France, mais que les efforts d'une volonté commune doivent suffire à résoudre.

La victoire des 26 avril et 3 mai reçoit aujourd'hui sa pleine consécration. Un grand avenir s'ouvre devant la démocratie française. Je l'adjure, comme chef du gouvernement, de s'y engager avec cette force tranquille qui est la garantie de victoires nouvelles.

Vif redressement des rentes et valeurs françaises

Les Rentes et valeurs françaises qui, au cours des semaines qui ont précédé l'avènement du nouveau ministère, avaient eu à supporter des dégagements d'une clientèle tendancieusement alertée et des offres du découvert, se sont vigoureusement redressées dans la séance d'hier.

Les déclarations faites par M. Léon Blum [...] poir d'une fin prochaine du conflit ouvrier a provoqué des achats et rachats sur l'ensemble des valeurs locales.

Nos Rentes ont aisément regagné de plus d'un point à deux points suivant les séries; la Banque de France s'est attribué 395 fr.; des plus-values de 20 à 50 fr. et plus ont été enregistrées sur les valeurs industrielles. Et cette reprise s'est accompagnée d'une recrudescence d'affaires assez sensible.

Dans le même temps, on a enregistré une détente de la livre sterling au comptant; elle a fini la séance officielle sur le cours de 76,36 contre 76,545 la veille et dans la soirée, le glissement s'est accentué jusqu'à

La grève d'heure en heure s'est étendue hier à Paris et en province

Nouveaux conflits : les Grands Magasins de Nouveautés et d'Alimentation les Abattoirs de la Villette les Usines Renault et Citroën et de très nombreuses entreprises en France

TOUTE LA JOURNÉE, LES REPRÉSENTANTS DU GOUVERNEMENT ET DE LA C.G.T. ONT CONFÉRÉ

Hier soir : Plus de 500.000 grévistes

« L'action du gouvernement..., serait paralysée par toute atteinte à l'ordre, par toute interruption dans les services vitaux de la Nation. Toute panique, toute confusion servirait les desseins obscurs des adversaires du Front populaire, dont certains guettent déjà leur revanche. »

Il faut souligner ce passage essentiel de l'allocution, émouvante en sa concision, qu'a prononcée hier, devant le micro, M. Léon Blum, président du Conseil et chef du « Front populaire ».

L'ordre? Il a été, dans l'ensemble, parfaitement respecté au cours des grèves actuelles. Mais il y a des désordres qui, pour ne se point manifester dans la rue, n'en sont pas moins réels et lourds de conséquences. Si le ravitaillement de la capitale et des grandes villes est compromis, si, tandis que les prix montent, les queues s'allongent aux portes des boutiques et aux guichets des banques ou des Caisses d'épargne, si, sans grève du personnel, mais faute d'essence, les transports cessent leur service, il y a désordre : un désordre moins apparent que les troubles de la voie publique, mais plus sensible à tous et plus dangereux pour le succès du gouvernement de Front populaire.

Qu'on veuille bien se souvenir simplement que toutes les offensives — trop souvent victorieuses — de la réaction, ont été menées de la même manière, et que le froid calcul des chefs de la droite est toujours d'exploiter, pour en mieux avoir raison, les mouvements généreux, mais impulsifs, des masses.

Ne nous perdons pas en conjectures sur l'origine du dernier en date, auquel nous assistons aujourd'hui. Il est absurde de prétendre qu'il ait été voulu, préparé « en sous-main », sournoisement suscité par le grand patronat? Sans doute. Mais il est moins absurde de penser que celui-ci a vu là une aubaine, une occasion de l'emporter. Et quand, après les avoir acceptés, les dirigeants de la métallurgie parisienne rompent les pourparlers, juste au moment où arrive au pouvoir le ministère Blum, on a le droit de se poser quelques questions.

Tout se passe comme si ces messieurs avaient décidé « d'amuser le tapis », le prolongement de la grève pouvant amener des incidents, accélérer la panique, détacher du Front populaire ses éléments « modérés », auxquels on prodigue déjà — n'est-ce pas, monsieur Taittinger? — de cordiales invites.

Posément, mais rapidement, avec l'autorité légale que lui ont conférée les dernières élections, le gouvernement s'apprête à réaliser, à imposer les mesures prévues dans le programme du « Front populaire ». Il entend répondre, par la loi, aux revendications si légitimes (C.G.T. et syndicats chrétiens sont d'accord là-dessus entre eux et avec nous tous) du monde du travail.

Or tout se passe comme si le grand capitalisme avait vu, dans le mouvement spontané des ouvriers, le moyen de combattre ce gouvernement, devant même qu'il fût formé, et d'empêcher ainsi les réformes essentielles qui, limitant la puissance patronale « de droit divin », permettront d'améliorer vraiment la vie sociale de ce pays.

S'il réussissait, les victoires partielles enregistrées ces jours-ci par les ouvriers seraient sans lendemain.

Est-ce que le peuple français, si intelligent, mais si sensible et si prompt, se prêtera toujours aux mêmes « torpillages » et — qu'on passe des grèves « opportunes » de 1919 au « montage » savant du 6 février — sera toujours dupe des mêmes manœuvres ?

Dans la vague qui a soulevé, depuis une dizaine de jours, les travailleurs des usines, on a vu, nous dit M. Vaillant-Couturier, portés par le même élan contre les mêmes iniquités et la même misère, communistes, socialistes, volontaires nationaux.

On connaît les iniquités, on sait quelle est la misère. On s'explique la formation de la « lame de fond ». Mais attention ! Dans les mêmes conditions, et dans la même impatience, on a vu, en Allemagne, les jeunes communistes passer dans les rangs « nazis », et réciproquement, en une sorte de flux et de reflux d'inquiétude qui rejetait les solutions légales.

Ça c'est — à notre sens du moins — assez mal terminé.

L'Œ.

Voir en cinquième page :

Une déclaration radiodiffusée de M. Jouhaux

Au douzième jour du conflit

D'heure en heure la grève s'étend. Mais des mesures énergiques seront prises aujourd'hui, sans faute, par le gouvernement et le Parlement, pour résoudre le conflit.

Dès hier midi, tandis que M. Blum annonçait à la radio les projets de son cabinet, M. Salengro recevait les représentants de la C.G.T. qui s'étaient réunis dans la matinée.

Dans l'après-midi, les conversations se poursuivaient entre les représen-

(Photo Œuvre)

Devant les abattoirs de la Villette

Après la loi sur le repos hebdomadaire de 1906, puis celle sur la journée de 8 heures votée en 1919, les salariés peuvent désormais avoir deux jours de repos consécutifs (en général les samedi et dimanche, ou bien les dimanche et lundi).

En ce qui concerne les congés payés, il faut tout de même préciser qu'ils existaient déjà depuis le XIXe siècle dans certaines professions, mais qu'ils étaient davantage conçus dans un esprit paternaliste. En outre, un projet de loi de 1931 – rejeté à l'époque par le Sénat – avait déjà préconisé une semaine de congés payés[1]. Les chanteurs engagés dans la lutte depuis plusieurs années peuvent à juste titre fêter l'événement. Ainsi Gilles et Julien, avec *La chanson des loisirs,* qu'ils n'ont hélas pas enregistrée :

Ah ! qu'elle était longue la semaine
Sans débrayer, sans repos, sans espoir
Mais aujourd'hui, voici la vie meilleure
L'usine n'est plus la prison,
On peut rêver d'air pur et d'horizon.
Et de bonheur dans la maison.
Hardi les gars, voici les quarante heures
À nous l'espace au cours du bel été
Hardi les gars ! car la vie est meilleure   )
Au bon vent de la liberté.   ) bis

(paroles et musique de Jean Villard-Gilles - éditions ESI - 1936)

De rares chansons satiriques et sans prétention, comme *C'est la semaine de 40 heures !,* qui n'ont pas été enregistrées, livreront une tardive chronique de l'actualité :

Ça faisait des années
Que tout le monde en parlait
Mais toujours reculée,
La loi n'passait jamais.
Maintenant c'est chose faite
Quarante heures de boulot
Et l'on s'tire des gambettes

Deux jours au bord de l'eau
Là ou bien ailleurs
Tous les travailleurs
S'en vont respirer un air meilleur.

(paroles de Lucien Carol et Ded Rysel - musique de Marcel Cambier - éditions Chamfleury - 1937)

Malgré le vote des nouvelles lois sociales en juin, il reste encore au début du mois de juillet 100 000 grévistes occupant un millier d'usines à travers le pays. L'acmé de l'explosion sociale sera la manifestation triomphale du 14 juillet 1936, avec un million de spectateurs présents au défilé. De nombreux orateurs, dont Léon Blum, prennent la parole place de la Nation, déclarant notamment : "Un peuple entier veut la paix." À la tribune, on chante tour à tour *La Marseillaise* et *L'Internationale.*

---

1. *Pour mémoire, la 3e semaine de congés payés sera instaurée sous Guy Mollet par une loi de mars 1956, la 4e en mai 1969 sous la présidence intérimaire d'Alain Poher, enfin la 5e en janvier 1982 par François Mitterrand et Pierre Mauroy.*

L'hebdomadaire *Vendredi* relate par la plume d'André Chamson : "Nous avons marché, nous avons chanté avec nos camarades, nous étions vingt de front, les bras noués les uns aux autres : vingt hommes qui nous connaissons, qui vivons ensemble tous les jours, qui partageons les mêmes travaux. Et voilà que soudain toute une immense foule se révélait à chacun de nous, plus amicale encore que les meilleurs des amis."

L'été des premiers congés payés

En juillet 1936, Léo Lagrange, sous-secrétaire d'État à l'Organisation des sports et loisirs, convoque les directeurs des différentes compagnies de chemin de fer (leur nationalisation et la création de la SNCF n'interviendront qu'en 1937). Les "billets populaires de congés payés" avec 40 % de réduction sur les troisièmes classes sont obtenus à l'arraché quatre jours avant le lundi 3 août, date du départ du premier train spécial pour la Côte d'Azur. Grâce aux congés payés et aux "billets Lagrange", bon nombre d'ouvriers, de petits employés vont pour la première fois découvrir la France, en particulier les bords de mer. Les Français rencontrent les autres Français... mais certains bourgeois n'ont pas envie de faire connaissance avec n'importe qui. Leurs réactions sont parfois comiques. *Le Canard enchaîné* du 12 août montre une rombière qui se fait installer une baignoire au bord des vagues : "Vous ne pensez pas que je vais me tremper dans la même eau que ces Bolcheviks !" Léon Blum, jugé en 1942 au procès de Riom sur la responsabilité du Front populaire dans la "décadence de la France", déclarera : "Je ne suis pas sorti souvent de mon

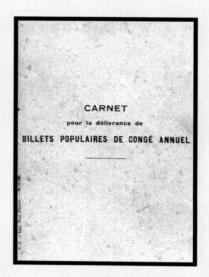

CARNET
pour la délivrance de
BILLETS POPULAIRES DE CONGÉ ANNUEL

bureau durant cette période. Mais quand j'ai vu les routes couvertes de théories de tacots, de motos, de tandems, avec ces couples d'ouvriers vêtus de pull-overs assortis et qui montraient que l'idée de loisir réveillait chez eux une sorte de coquetterie naturelle, j'avais le sentiment d'avoir apporté une embellie, une éclaircie dans des vies difficiles, obscures."

S'il est en effet une image qui restera de la victoire du Front populaire, c'est bien celle des départs massifs des salariés de la région parisienne pour ces premiers congés

CONDITIONS DE DÉLIVRANCE ET D'UTILISATION DES BILLETS POPULAIRES DE CONGÉ ANNUEL

I. — **PARCOURS MINIMUM** : 200 kilomètres aller et retour.

II. — **CLASSE** : 3e classe ; les déclassements ne sont pas autorisés.

III. — **ITINÉRAIRE** : L'itinéraire de retour peut être différent de l'itinéraire d'aller.

IV. — **RÉDUCTION** : 40 % de réduction sur le prix de 2 billets simples à place entière (les enfants de 3 à 7 ans paient la moitié du prix perçu pour un adulte).

V. — **VALIDITÉ** : 31 jours, non prolongeables.
La durée de validité est portée à 60 jours, non prolongeables, pour les voyageurs en résidence dans les pays extra-européens.

VI. — **SÉJOUR A DESTINATION** : Obligation d'un séjour minimum de 5 jours à destination.

VII. — **TRAINS POUVANT ÊTRE UTILISÉS** : Tous les trains admettant les voyageurs à plein tarif, à l'exclusion des trains interdits en permanence ou à certaines périodes d'affluence (se renseigner à ce sujet dans les gares).

Lorsque les conditions de classe, de validité ou de séjour ne sont pas remplies, les titulaires des billets sont considérés comme étant sans titre de transport valable pour le parcours total aller et retour.

Lorsque les titulaires des billets empruntent un train interdit, ils sont considérés comme étant sans titre de transport valable pour le parcours effectué dans ce train.

Pour le parcours sur lequel les voyageurs sont considérés comme étant sans titre de transport valable, le montant de l'insuffisance de perception est égal au prix de la place que le voyageur occupe, calculé au tarif ordinaire des billets simples, diminué de la valeur du titre présenté.

— 3 —

ATTESTATION PATRONALE
à produire chaque année, pour l'obtention du billet à prix réduit.

L'Employeur soussigné certifie employé dans son établissement est bénéficiaire d'un congé payé de *quinze* jours, du *17 Octobre* 1937 au *2 Novembre* 1937 A *Bayonne* le *15 Octobre* 1937.

SIGNATURE DE L'EMPLOYEUR

LÉGALISATION DE LA SIGNATURE

— 4 —

Carnet N° A 012,351

Coupon A 1937		Coupon B 1937	
PARTIE A REMPLIR PAR LE TITULAIRE DU CARNET dans le cas où tous les voyageurs ne rentrent pas ensemble au retour			
Personnes voyageant, AU RETOUR, AVEC le titulaire	PARENTÉ	Personnes voyageant, AU RETOUR, SANS le titulaire	PARENTÉ

---

payés. En écho apaisé de cette sorte de transhumance, le film *Prends la route,* sorte d'ode au tourisme tourné à l'automne 1936 par Jean Boyer avec les célèbres duettistes Pills et Tabet, fait la part belle à la chanson. On peut y entendre des refrains comme *Y a toujours un passage à niveau* ou surtout la chanson-titre, qui sonne juste :

Prends la route mon p'tit gars
Prends la route et n't'en fais pas
Tu guériras !
Prends la route de ton choix
Prends la route et va tout droit
Elle est à toi !
L'air de Paris
Te donne le teint gris
Mais le grand air
Te le rendra plus clair.

(paroles de Jean Boyer - musique de Georges Van Parys - éditions Salabert - 1936)

LES DUETTISTES
PILLS et Tabet
LES VEDETTES
EXCLUSIVITÉ
DISQUES Columbia

LE SOLEIL S'EN FOUT!

LE NOUVEAU SUCCÈS DE

JEAN TRANCHANT

Enregistré sur disque Pathé P. A. 1061

Piano et chant : 1·75

LES ŒUVRES FRANÇAISES, 11, Rue de Sèvres — PARIS · 6ᵉ

Le pic de production des chansons dont le titre comporte le mot "guinguette" se situe entre 1935 et 1939. À cela deux raisons.

D'une part, ce phénomène s'inscrit dans le courant de la chanson paysagiste, à la fois fraîche et poétique, lancée au début des années 30 par Mireille et Jean Nohain avec *Couchés dans le foin* (succès de Pills et Tabet début 1932), ou *Ce petit chemin,* une chanson créée au Casino de Paris en octobre 1933 par la fantaisiste Lyne Clevers :

Ce petit chemin… qui sent la noisette
Ce petit chemin… n'a ni queue ni tête
On le voit
Qui fait trois
Petits tours dans les bois,
Puis il part
Au hasard
En flânant comme un lézard…

(paroles de Jean Nohain - musique de Mireille - éditions Breton - 1933)

Plus distancié, l'esthète Jean Tranchant célèbre l'avènement des loisirs pour tous dans *Le soleil s'en fout,* une chanson qu'il enregistre fin 1936 :

Oublier, oublier, oublier, toujours…
Les impôts, les ennuis, les mots, les discours.
Enfuyez-vous aux champs où tout est si vert
Et regardez autour de vous l'univers.

(paroles et musique de Jean Tranchant - éditions Les œuvres françaises - 1936)

Toutefois, faute de moyens suffisants ou simplement par peur de ne pas retrouver leur place à l'usine, beaucoup d'ouvriers n'ont pas osé partir. Et les scènes de vacances improvisées dans la capitale se multiplient. Pour beaucoup, la partie de campagne constitue une détente suffisante. Destination idéalisée par la chanson et les films de ces années-là, la guinguette cristallise l'évasion à bon marché.

↑ Lyne Clevers

Cette veine bucolique a ensuite été alimentée par Jean Tranchant (*Ici l'on pêche* - 1934) et le jeune Charles Trenet (*Quand les beaux jours seront là* - 1934).

D'autre part, c'est aussi le moment où l'accordéon, sorti des bals musette des quartiers populaires, commence à envahir les ondes des radios, grâce à une nouvelle génération de musiciens qui lui donnent ses lettres de noblesse : Maurice Alexander, Adolphe Deprince, Jean Vaissade, Emile Prud'homme, Gus Viseur... Sous la plume des paroliers, l'accordéon devient alors le symbole de la fête et de la danse.

Par son pouvoir d'évocation, la guinguette résume le besoin de loisir populaire : la musique, la danse, le repas traditionnel (moules marinière, frites, vin blanc), le canotage, la baignade, etc. Et de nombreux paroliers choisissent la guinguette comme cadre pour relater les rencontres amoureuses.

Outre *Le doux caboulot*, poème de Francis Carco mis en musique par Jacques Larmajat pour Marie Dubas en 1931 et très souvent repris par la suite, on trouvera de beaux exemples de chansons dans l'album photo de ce livre, comme *La java d'un sou* tirée du film *Escales* :

Quand viennent les jours de fête,
Il fait bon à la guinguette.
Pouvoir oublier l'usine, l'atelier
Et boire frais.
Les vieux font une belote,
Les filles font des parlottes,
Et voici les gars qui pour la java
Sont un peu là !
(paroles d'Anne Valray - musique de Jacqueline Batell - éditions Coda / Heugel - 1935)

Et d'autres, qui ressemblent toutes à de petites aquarelles : *C'est la guinguette* (1935), *Aimez-vous les moules marinière ?* (1936), *Aux quatre coins de la banlieue* (1936), ainsi que *Quand on s'promène au bord de l'eau* créée à l'automne 1936 par Jean Gabin dans le film de Julien Duvivier *La belle équipe,* qui deviendra après coup la plus symbolique de cette période :

Quand on s'promène au bord de l'eau,
Comme tout est beau…

Quel renouveau…
Paris au loin nous semble une prison,
On a le cœur plein de chansons.
L'odeur des fleurs
Nous met tout à l'envers
Et le bonheur
Nous saoule pour pas cher
Chagrins et peines
De la semaine,
Tout est noyé dans le bleu, dans le vert…
(paroles de Julien Duvivier - musique de Maurice Yvain - éditions Royalty / Chappell - 1936)

Sous la double influence du contexte politique et de l'évolution musicale, les auteurs de chanson reconnus s'intéressent désormais davantage au thème du loisir populaire. Alors que le cinéma chantant, la radio (qui s'appelle encore TSF) et le disque offrent à la chanson des modes de diffusion sans cesse plus importants, une production de refrains joyeux et dansants favorise cette nouvelle forme d'écriture poétique.

Il ne faut donc pas négliger le rôle de l'industrie de la chanson dans la construction du mythe du Front populaire : le temps arraché au travail et au patron s'est cristallisé en une myriade de chansons sur lesquelles on a rêvé, on a dansé, on s'est aimé.

En effet, si l'on cherche des échos tangibles de cet été 36 dans la chanson réellement populaire – c'est-à-dire celle produite par l'industrie de la chanson –, ce sont les aspirations des ouvriers et le résultat apaisant du mouvement social qui, plus que le mouvement lui-même, ont inspiré les paroliers : le besoin d'évasion par tous les modes de transport possibles (train, voiture, vélo), les loisirs (guinguettes, camping…). Autant d'aspects qui seront développés dans la seconde partie de ce livre.

↑ Léo Lagrange

La culture des loisirs

À son rythme, une réflexion sur les loisirs s'est élaborée au cours des années 30 dans l'ensemble de la classe politique, que ce soit à gauche, chez des pionniers de droite ou chez les catholiques. Au sein du Front populaire, elle a pris une forme plus aboutie. Léon Blum, conscient depuis 1919 de la nécessité d'organiser les loisirs, déclarait déjà en 1934 : "Le problème des loisirs ouvriers devient le plus important des problèmes politiques. Le loisir devient presque plus important que le travail (…) Le loisir, au lieu d'être un court moment de repos, de récupération des forces, deviendra au contraire la part la plus importante de la vie."

Dans la réflexion globale du Front populaire sur les loisirs s'esquisse également une politique culturelle – au sens moderne du mot –,

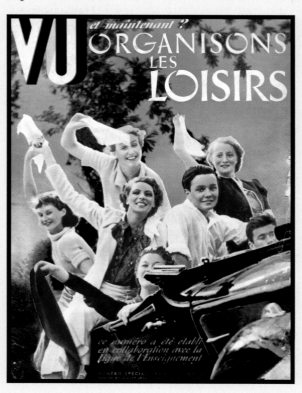

au nom de l'importance politique que peuvent prendre les loisirs et activités culturelles. Avec l'arrivée au pouvoir du Rassemblement, une politique d'État se met donc en place pour l'organisation des loisirs, qui après la Libération donnera naissance à l'administration de la Jeunesse et des Sports.

Dès le 4 juin 1936, un "sous-secrétariat d'État à l'Organisation des sports et loisirs ", dépendant du Ministère de la Santé publique, est créé au sein du gouvernement de Blum. Installé dans des bureaux étroits rue de Tilsitt, il est confié à Léo Lagrange, qui deviendra une des figures les plus populaires du gouvernement. Membre de la SFIO, ancien Éclaireur de France, aimant payer de sa personne, mais aussi bien introduit dans les milieux intellectuels, il constitue dans son cabinet une équipe homogène, qui pour l'essentiel traversera les gouvernements successifs entre 1936 et 1938. Lagrange lui-même restera en place dix-huit mois, jusqu'au second et éphémère gouvernement Blum de mars 1938.

Le 10 juin, Lagrange prononce sur la radio d'État, dans l'émission "La voix de Paris", un discours qui fera date. L'idée forte de son programme est de montrer qu'une démocratie peut faire mieux et autrement qu'un régime autoritaire : "Il ne s'agit pas, dans un pays démocratique, de caporaliser les loisirs, les distractions et le plaisir des masses populaires et de transformer la joie habilement distribuée en moyen de ne pas penser." Lagrange cherchera donc toujours l'équilibre entre organisation et liberté.

Faisant preuve d'une grande énergie, il compte agir dans les espaces de loisirs engendrés par les congés payés – loisirs sportifs, loisirs touristiques et loisirs culturels – en mettant l'accent sur les masses plutôt que sur les élites. Son objectif politique est de "rapprocher les diffé-

d'action : elles sont au total plus d'une centaine, dont la plupart ont été créées entre juillet 1935 et juillet 1936. Beaucoup joueront un rôle important dans le développement des sports et loisirs :
- l'association des Maisons de la Culture, qui a remplacé l'AEAR en 1935 ; le schéma idéal d'une "maison de la culture", exposé en juillet 1936, regroupe une chorale, un orchestre, un groupe théâtral, une association de peintres, une autre de photographes, un groupe de cinéma, un groupe de camping…

rents éléments de la jeunesse, le jeune ouvrier des jeunes intellectuels, le jeune paysan du jeune ouvrier."

Pour ce faire et combler le retard de la France en équipements sportifs, Lagrange projette d'une part de construire de nombreux terrains de sport – les 40 heures vont notamment permettre l'illustration du thème : "du sport le samedi" – et d'autre part de développer le tourisme populaire en s'appuyant sur les réseaux des Auberges de la Jeunesse, avec le concours des syndicats et des associations culturelles. Son appel est bien accueilli par la FSGT (Fédération Sportive et Gymnique du Travail) et le CLAJ (Centre Laïque des Auberges de la Jeunesse). Un comité interministériel des loisirs est créé peu après, dans le but de centraliser la documentation, de promouvoir et de coordonner l'action des différentes administrations. Mais il sera vite dépassé par les événements…

Comme on l'a vu, le Front populaire, privilégiant l'action collective, fédère depuis 1935 de multiples associations culturelles spécialisées (lecture, radio, musique…), qui conservent leur autonomie intellectuelle et leur latitude

- le mouvement "Mai 36", collectif populaire d'art et de culture, fondé au cœur des grèves de juin par des militants de la SFIO ;
- les groupes "Savoir", indépendants des partis politiques, soutenus par l'hebdomadaire *Vendredi* ; ces petits groupes décentralisés proches des Auberges de la Jeunesse naissent en juillet 1936 autour d'André Combe pour "créer une école du savoir et de l'amitié".
Les grands partis politiques participent également à ce mouvement par le biais d'associations créées pour l'occasion.

Par ailleurs, de nouveaux questionnements liés aux loisirs se posent dans les organisations politiques (comme la Ligue de l'Enseignement) et syndicales (comme la CGT).

Avec l'instauration de l'éducation physique à l'école, on cherche à développer le sport de masse contre le sport spectacle : bientôt sera créé un "brevet sportif populaire".

La période marque aussi l'essor des clubs sportifs d'entreprise, où l'initiative syndicale remplace l'initiative patronale. Parallèlement, les syndicats commencent à acheter des châteaux (ou des propriétés rurales), qui sont aménagés en lieux de loisir pour leurs membres : séjours de congés payés, de fin de semaine, colonies de vacances. Ainsi, les syndiqués prennent en main leurs propres loisirs.

Enfin, en avril 1937, une circulaire de l'Éducation nationale encourage, par un recensement des lieux d'accueil dans les écoles rurales, les colonies de vacances.

Au fil des mois, le sous-secrétariat de Lagrange fait preuve de beaucoup d'imagination dans le domaine touristique et des réseaux de loisirs s'organisent pour trois catégories distinctes de la population : camps de vacances et colonies pour les enfants ; auberges et relais de vélos pour les jeunes gens ; hôtels et campings pour les adultes.

Si l'image en est moins présente dans les esprits, il faut aussi mentionner les congés d'hiver qui se développent fin 1936, toujours sous l'impulsion de Léo Lagrange, lui-même passionné de ski.

Quant à l'Exposition internationale de 1937 à Paris, même si elle donne lieu à de nombreuses polémiques, elle sera un terrain d'application de la politique culturelle du Front populaire : elle élargit le champ de l'échange et de l'hospitalité à de nombreux jeunes étrangers.

Comme on a pu l'observer avec les guinguettes en 1935-36, la bouffée d'oxygène apportée par tous ces nouveaux espaces de loisirs et de sport stimule l'inspiration des auteurs de chansons populaires.

En 1937, Jean Delettre signe la partition d'une opérette, intitulée à bon escient *La belle saison*, qui est à l'affiche du théâtre Marigny durant l'été. Mais l'affluence que connaît la capitale avec l'Exposition internationale ne suffira pas à assurer le succès de ce spectacle. Il nous a tout de même laissé quelques belles mélodies interprétées par la vedette Lucienne Boyer et les duettistes Pills et Tabet : *La romance du printemps* ou la grande valse *C'est à Robinson* :

C'est à Robinson
Que sous les buissons
Un beau soir l'amour vous guette
Chantant des chansons
Filles et garçons
Vont danser dans les guinguettes.

(paroles de Jean de Létraz - musique de Jean Delettre - éditions Paris-Broadway / SEMI - 1937)

Georgius, chansonnier à la verve intarissable, livre en 1937 un croquis plein de malice dans une chanson-sketch intitulée *Ça c'est d'la bagnole* :

Pour promener Mimi
Ma p'tite amie Mimi
Et son jeune frère Toto
J'ai une auto.

(paroles de Georgius - musique de Henri Poussigue - éditions Beuscher - 1937)

L'année suivante, c'est au tour du tandem Mireille - Jean Nohain, connu pour ses chansons bucoliques, de signer un refrain de circonstance, *Tandem*, créée par Lyne Clevers et Jean-Fred Mêlé dans une revue de Bobino de 1938 :

Je fais du tandem
Tu fais du tandem
C'est toi qui m'entraînes
C'est moi qui t'emmène
Et lorsque tu donnes un bon coup d'pédale
Je pédale en même temps, ça nous emballe.
C'est bon pour l'hygiène
Et ça nous promène
Je t'aime, en avant, les cheveux au vent
On s'aime en faisant du tandem.

(paroles de Jean Nohain et Jean Valmy - musique de Mireille - édition Coquelicot - 1938)

Charles Trenet qui, à sa manière, incarne cette jeunesse optimiste mêlant toutes les origines sociales, lancera des chansons au diapason de l'air du temps dans ses deux premiers films tournés en 1938 : *La route enchantée* et *Je chante*. Dans ce dernier, il entraîne dans une folle farandole les jeunes filles d'un pensionnat dont il incarne le professeur de musique avec un refrain des plus enlevés :

La vie qui va

C'est la vie qui va toujours
Vive la vie, Vive l'amour
La vie qui nous appelle
Comm' l'amour elle a des ailes,
Oui c'est elle qui fait chanter la joie
Quand tout vit c'est qu'tout va
Quand tout va la vie est belle
Pour vous et pour moi.
Je sais bien que demain tout peut changer
Je sais bien qu'le bonheur est passager
Mais après les nuages
Mais après l'orage
On voit se lever joyeux
L'arc-en-ciel dans vos yeux
Tout est beau comme un mirage
Quand la vie va mieux.

Vous qui rêvez d'un désir fou
Vous qui chantez la jeunesse
Vous qui pleurez d'un air très doux
Le cœur empli de tendresse

Stop ! Arrêtez-vous un instant
Écoutez la marche du temps...
Voici la vie qui va toujours
Vive la vie, Vive l'amour
La vie qui nous appelle
Comm' l'amour elle a des ailes,
Oui c'est elle qui fait chanter la joie
Quand tout vit c'est qu'tout va
Quand tout va la vie est belle
Pour vous et pour moi.
Je sais bien que demain tout peut changer
Je sais bien qu'le bonheur est passager
Mais après les nuages
Mais après l'orage
On voit se lever joyeux
L'arc-en-ciel dans vos yeux
Tout est beau comme un mirage
Quand la vie va mieux
La vie va mieux
La vie va mieux
Pour vous et pour moi
C'est la vie qui va !

(paroles et musique de Charles Trenet - éditions Vianelly Breton - 1938)

Le mouvement des Auberges

André Chamson déclare dans l'hebdomadaire *Vendredi* en août 1936 : "S'il fallait donner un visage au Front populaire, ce serait celui d'un jeune homme bruni de soleil, aux muscles longs, habitué à la marche et aux morsures du soleil, à l'âme candide et pourtant sans naïveté, qui chante en marchant à côté d'autres jeunes hommes semblables à lui-même."

Si, contrairement à une idée répandue, Léo Lagrange n'a pas fondé les Auberges de la Jeunesse, il a beaucoup contribué en 1936-38 au développement spectaculaire de ces endroits d'échanges inspirés de l'expérience allemande, introduits en France par le chef charismatique catholique Marc Sangnier : la première Auberge de la Jeunesse fut inaugurée à Bierville, près d'Étampes, en août 1930. Il s'agissait de créer un réseau de lieux d'accueil à prix modique pour les jeunes voyageurs. Le concept de l'Auberge englobe le tourisme, les activités de plein air et une dimension éducative.

Ce mouvement se décline en deux grandes organisations :

- la Ligue Française pour les Auberges de la Jeunesse (LFAJ), créée en 1930 ; elle est laïque, mais proche des catholiques et jugée trop confessionnelle par de nombreux militants de gauche ;

- le Centre Laïque des Auberge de la Jeunesse (CLAJ), fondé en juin 1933 par des militants de la laïcité liés à la SFIO ; il est patronné par le Syndicat National des Instituteurs (SNI), la Ligue de l'Enseignement, la CGT et la Fédération nationale des municipalités socialistes.

Les deux premières auberges du CLAJ s'ouvrent dès le mois de juillet 1933 au Perreux et au Plessis-Robinson. On en comptera quarante l'été suivant. Le CLAJ finira par dépasser la LFAJ en nombre d'auberges et d'adhérents.

À ces deux organisations principales, il faut ajouter des mouvements plus régionaux :
- l'Union touristique des Amis de la Nature, créée en 1895 à Vienne en Autriche, dont les refuges sont surtout implantés en Alsace, avec une conception environnementaliste du sport (randonnée, canoë, motocyclisme, alpinisme, camping) ; elle entre en 1935 dans la FSGT (Fédération Sportive et Gymnique du Travail) et fusionne avec elle en 1937 pour en devenir la "commission tourisme" ;
- les Auberges du Monde Nouveau, créées en novembre

14 juillet 1936 : défilé à Paris

Le mouvement des Auberges, nourri par l'idéalisation de la gauche ouvrière, recrute en fait ses membres principalement dans les classes moyennes, chez les étudiants et les salariés intellectuels. La philosophie de l' "ajisme" est en rupture avec l'organisation bourgeoise des loisirs : par le brassage qu'il pratique et l'optimisme qu'il promeut, il éloigne la lutte des classes. Le CLAJ craint pourtant qu'une forme de snobisme se greffe sur les Auberges et galvaude à son tour leur esprit de communion et d'exaltation.

1934 par Jean Giono et ses amis dans le sud de la France ; il s'agit d'un mouvement nettement pacifiste, empreint de solidarité et de naturisme, pratiquant les activités culturelles (veillées poétiques et théâtrales, randonnées, visites aux habitants des environs du Contadour, où la plus grosse communauté a élu domicile).

Dans son discours-programme du 10 juin 1936, Léo Lagrange définissait aussi le concept de "Club de loisir", qui devrait fonctionner en lien avec les Auberges de la Jeunesse pour organiser des conférences, des visites de musées, d'usines… En réalité, il s'agira de "Clubs d'usagers", un type de sociabilité typique de l'époque qui se superpose aux

Auberges. Le principe est de réunir les adhérents tout au long de l'année, par lieu de résidence et non de villégiature, pour des conférences, des visites organisées, des manifestations artistiques, des activités sportives, en partenariat avec différentes associations culturelles du Front populaire. Cela permet de développer l'usage de l'Auberge en fin de semaine. Pascal Ory a pu analyser qu'avec cette initiative, "on glisse progressivement du lieu vers l'esprit, du contenant vers le contenu, de la nature vers la culture".

Auberges et clubs d'usagers constituent en effet la clé de voûte de la politique culturelle du Front populaire. À la kermesse du CLAJ, le 21 juin 1936, en Seine-et-Marne, Léo Lagrange se proclame lui-même "ministre des Auberges". Il visite, inaugure, subventionne... Son nom sera même donné à plusieurs Auberges en 1936-37. Profitant de l'Exposition de 1937, il fait construire une Auberge modèle à Paris, boulevard Kellermann, qui ouvre au mois de juillet. Associant la LFAJ et le CLAJ – les deux organisations que Lagrange ne parviendra jamais à réconcilier –, elle verra défiler 3 000 usagers par mois.
Le mouvement des auberges est devenu le lieu de réalisation idéal des trois valeurs chères à la gauche de l'époque : égalité, solidarité et optimisme.
Entre juin et décembre 1936, le nombre d'auberges en France passe de 250 à 400. Elles sont implantées à travers tout le pays, jusqu'en montagne. Le mouvement, fortement coloré de pacifisme, se développera jusqu'en 1938. Son apogée se situera pendant l'été 1939, avec 700 à 800 unités.

En parallèle, la FSGT encourage et développe à partir de 1936 les activités de camping. Ce nouveau loisir incite quelques auteurs de chansons populaires à écrire des refrains qui en vantent les mérites, comme *Faire du camping avec vous*, créé par Jean Sablon :

Mais... faire du camping avec vous
Me plairait beaucoup
Nous irions d'abord droit devant nous
Sans bien savoir où
On mettrait tout au fond de l'auto
Nos deux p'tites valises et le phono
Et dans un coin discret et fleuri
On ferait son nid !
(paroles de Henri Lepointe et Jeanberl - musique de Ted Grouya - éditions Costallat - 1936)

Ou, plus près encore des mouvements de jeunesse, *La marche des campeurs*, dédiée à tous les campeurs de France :

En avant les campeurs de France
En avant marchons, allons-y chantons.
Profitons des belles vacances.
En toute saison.
Ce soir nous nous arrêterons
Montant le campement
Sous les étoiles
Dans un coin charmant
Et sous les toiles.
En rêvant à notre bonheur
Allons-y, joyeux campeurs.
(paroles de Brévard et Parrisé - musique d'Albert Huard - éditions Albert Huard -1937)

Jean Tranchant signera bientôt une autre marche pour les campeurs, *Les feux de camp*, une commande en faveur de l'emploi des réchauds à alcool (!) qui remportera en 1938 le Grand Prix au Concours de la meilleure chanson de marche des Campeurs de France :

Les feux de camp s'allument
Partout, partout
Ils montent dans la brume
Partout, partout
Ils disent aux étoiles
Bonsoir, bonsoir !
Lorsque le jour se voile
Les flammes brillent dans le ciel noir.
(paroles et musique de Jean Tranchant - éditions Beuscher - 1938)

Les chœurs militants

Comme on peut l'imaginer, les mouvements de jeunesse constituent un cadre privilégié pour pratiquer le chant choral, activité fédératrice s'il en est, comme l'expression idéale de la conception du Rassemblement populaire. C'est dans ce domaine que la production musicale du Front populaire sera la plus riche et la plus diffusée.

D'abord auprès des organisations de jeunesse à but strictement politique : les Jeunesses socialistes, les Jeunesses laïques et républicaines, les Jeunesses communistes.
Ces dernières, très actives, accordent une grande place au chant. Elles reprennent volontiers des classiques du répertoire militant comme *Le temps des cerises* (1868), *Le drapeau rouge* (1877), *L'Internationale* (1888), *Le chant des jeunes gardes* (1912). Ces chants ont d'ailleurs été enregistrés par plusieurs chorales en 1936-37. L'une des plus réputées, la Chorale populaire de Paris, fondée en 1935 comme relève à celle de l'AEAR, inscrit également à son répertoire des chants prolétariens ou "des peuples soviétiques" traduits en français et harmonisés pour chœurs par les Editions Sociales Internationales (ESI) : *La Varsovienne, Les partisans, Le chant du kolkhoze, L'adieu d'un soldat rouge*...

Ensuite auprès des mouvements de jeunesse parfois politisés, mais aux objectifs d'abord pédagogiques : en premier lieu les Éclaireurs (mouvement d'union laïque fondé en 1911), mais aussi les Pionniers (proches du PCF) et les Amis de l'enfance ouvrière (ou "Faucons rouges", proches de la SFIO). Ces derniers, créés en 1933 avec des préoccupations politiques et sociales affichées, proposent une formule pédagogique originale : la "République socialiste des enfants", avec des camps de jeunes fondés sur l'auto-organisation. Nombre d'entre eux participent, avec des spectacles de chant et de chœurs parlés, à l'animation festive des grèves de juin 36. L'année suivante, l'essentiel des membres des Faucons rouges passera au CLAJ.

Mais c'est au sein du mouvement des Auberges de la Jeunesse que le chant choral trouvera son plus bel accomplissement : le chant sous toutes ses formes est l'art "ajiste" par excellence.

Il existe un vrai répertoire choral du Rassemblement. On en trouve le témoignage dans le recueil *La clé des chants,* de Marie-Claire Clouzot, André Jaillet et Pierre Jamet, sorte de symétrique des chansonniers scouts, dont le succès d'édition ira croissant pendant plusieurs décennies. Une autre source de répertoire se trouve aux Éditions Sociales Internationales qui, à partir de 1935, sous la direction de Léon Moussignac, élargissent leur catalogue en direction de chants traditionnels harmonisés et de chansons contemporaines.

Les ESI publient également deux mélodies destinées aux membres du réseau ajiste : *Le chant de l'auberge* (paroles de Lec - musique de Cliquet-Pleyel) et *Chantons jeunes filles* :

Quand nous allons par les chemins
Nous tenant toutes par la main
Au-devant des saisons nouvelles
Nous rions de nous savoir belles.

(paroles de Léon Moussignac - musique de Georges Auric -
éditions ESI - 1937)

Le groupe choral du CLAJ, dirigé par Pierre Jamet (par ailleurs membre de la Chorale populaire de Paris), enregistre vers 1937 des disques pour la marque socialiste La Voix des Nôtres. Parmi les œuvres les plus célèbres de cette série, on trouve bien sûr *Au-devant de la vie* (la marche de Chostakovitch, qualifiée de "Marseillaise des auberges" par le bulletin du CLAJ, *Le cri des Auberges de la jeunesse*), mais aussi *Vive la vie* (chanson signée Augier et Jean Wiener pour le court-métrage homonyme tourné en 1937 par Jean Epstein, à la demande de Léo Lagrange, avec comme interprètes des ajistes), ou encore un chant populaire allemand : *Les deux compagnons*.

Pierre Jamet, futur créateur des Quatre Barbus, relatera qu'outre des chants traditionnels harmonisés, les chœurs ajistes puisent dans les créations contemporaines "de gauche" : les chants les plus toniques de Gilles et Julien, ainsi que certains textes de Prévert.

Des investigations plus poussées conduisent à redécouvrir de nombreuses chansons militantes écrites dans les années 30 pour le chant choral. Par exemple *Camarade bonjour,* un texte de la jeune Madeleine Riffaud mis en musique par Jean Wiener ; il en existe un enregistrement chez la maison

Le Chant du Monde (proche du PCF, fondée en 1937 par Renaud de Jouvenel, et qui succède aux ESI) par la soliste Irène Joachim accompagnée par Jean Wiener au piano et la Chorale populaire de Paris.

Mais force est de constater que les chansons politiques de l'époque ne sont pas les meilleures sur le plan esthétique. Si elles émanent d'une conviction sincère, la plupart n'ont connu qu'une diffusion restreinte, voire confidentielle. Il est d'ailleurs symptomatique de constater que beaucoup n'ont pas été enregistrées.

Celle qui a vraiment survécu est *Au-devant de la vie,* car elle a été adoptée par toutes les chorales issues du Front populaire, en particulier la Chorale populaire de Paris. Elle a été enregistrée à de multiples reprises à partir de 1935 et encore jusqu'à la fin du XXe siècle.

C'est à cet hymne que le père de la Fédération Musicale Populaire (FMP), l'écrivain et

journaliste Paul Vaillant-Couturier, alors rédacteur en chef de *L'Humanité,* rêve de donner un pendant français. Jusqu'à sa mort subite, survenue en octobre 1937, il signera de nombreux couplets. Parmi ceux-là, on trouve les *Chants du campeur,* une série de textes de chansons écrits en 1936-37, mis en musique par quatre compositeurs membres de la FMP et publiés en 1937 par les ESI : *Pour faire un feu* (musique d'Yvonne Desportes), *Réveil* (m : Yvonne Desportes), *La soupe à l'oignon* (m : Yvonne Desportes), *La corvée d'eau* (m : Georges Auric), *Le campeur en chocolat*

(m : Georges Auric), *Le sac mal fait* (m : Henri Sauveplane), *Jeu du camp fou* (m : André Jolivet). Cette suite de mélodies, mettant en scène les plaisirs simples de la vie au grand air, se moque gentiment des citadins découvrant à l'occasion de leurs premiers congés payés les joies et les embûches du camping. Dans un registre plus grave, Vaillant-Couturier a aussi écrit les paroles de *Y'a trop de tout,* une chanson sociale créée vers 1936 par les Frères Marc, membres du Groupe Mars, déjà cité, dont l'un n'est autre que le futur Francis Lemarque :

On n'entend plus parler que d'crise
Plus y a d'blé, plus on crève de faim
Plus y a d'richesses, et plus y'a d'mouise
Plus y a d'or, plus y'a d'purotin
Y a trop d'ouvriers, mais faut faire
De la cadence et du rendement
Les bourgeois n'pensent plus qu'à la guerre
Pour liquider les stocks des gens.

(paroles de Paul Vaillant-Couturier - musique de Maurice Marc -
éditions de la Maison de la Culture - 1936)

Mais son œuvre la plus célèbre reste cette ode puissante à la *Jeunesse*, porteuse de tant d'espoir, mise en musique par Arthur Honegger en 1935, que Charles Koechlin considérera comme un modèle du genre. Cette mélodie – dont un vers se dégage particulièrement : "Nous bâtirons un lendemain qui chante" – demeure l'expression chantée par excellence de la montée du Front populaire. Créée pour la Fédération de la jeunesse, elle est enregistrée en 1937 pour Le Chant du Monde par la Chorale populaire de Paris dirigée par Roger Désormière :

Nous sommes la jeunesse ardente
Qui veut escalader le ciel.
Dans un cortège fraternel
Unissons nos mains frémissantes
Sachons protéger notre pain
Nous bâtirons un lendemain qui chante.

En avant ! Jeunesse de France
Faisons lever le jour.
La victoire avec nous s'avance,
Fils et filles de l'espérance.
Nous ferons se lever le jour
À nous la joie,
À nous l'amour.

(paroles de Paul Vaillant-Couturier - musique d'Arthur Honegger -
éditions ESI - 1935)

Outre Wiener et Honegger, de nombreux musiciens français, qu'ils soient franchement militants ou juste sympathisants, mettent leur talent au service du Front populaire : Maurice Jaubert, Georges Auric, Darius Milhaud, André Jolivet, Louis Duret, etc. Chacun à sa manière compose des œuvres de circonstance, participe à des spectacles originaux et aborde – souvent pour la première fois – des formes à large audience comme le chant de masse ou la musique d'harmonie. Ces commandes à des musiciens contemporains ont généralement été exécutées lors de spectacles ou de cérémonies officielles, mais sans connaître d'écho populaire durable. Parmi les exemples significatifs, la pièce *14 juillet,* premier volet du *Théâtre de la Révolution* de Romain Rolland créé en 1902, est reprise solennellement à l'Alhambra le 14 juillet 1936 avec le concours des groupements de la FMP de la région parisienne. La partition collective, dirigée par Roger Désormière, est signée Jacques Ibert, Georges Auric, Darius Milhaud, Albert Roussel, Charles Koechlin, Arthur Honegger et Daniel Lazarus. Darius Milhaud apportera également sa contribution au spectacle collectif *Liberté,* créé au théâtre des Champs-Élysées en 1937. On peut enfin citer le chef d'orchestre Henri Sauveplane, alors directeur musical des éditions Le Chant du monde, qui compose en 1936 *Prélude* (dédié à Maurice Thorez).

Charles Koechlin, l'un des musiciens les plus engagés dans le Rassemblement, publie en 1936 un ouvrage intitulé *La musique et le peuple,* où il professe la nécessité de rapprocher les masses de la musique. Plusieurs de ses confrères appellent de leurs vœux un plan de "culture musicale de la nation", une sorte de service public de la musique. Dans cet esprit seront créés en janvier 1937 les Loisirs Musicaux de la Jeunesse (LMJ). Suivront les premières mesures pour l'enseignement obligatoire de la musique. Les LMJ participeront au grand Festival de la jeunesse du 24 juin 1937, organisé par Léo Lagrange et animé par Robert Desnos.

Mais, à ce moment, le premier gouvernement Blum a déjà vécu. Commence néanmoins le deuxième été des congés payés, nourri des expériences du premier.

FÊTONS L'UNITÉ
1er MAI
1936
C.G.T.
PLO
LUTTONS POUR LES 40 HEURES LE CONTRAT COLLECTIF LES GRANDS TRAVAUX POUR LA PAIX
IMPie DE LA C.G.T.

Sur la route

des vacances

- chanter, danser
- un autre Paris
- à la guinguette
- pique-niquer
- partir en train
- partir à vélo
- partir en auto
- camper
- avoir vingt ans en 1936
- les jolies colonies
- découvrir la mer
- gloire au sport !

chanter, danser

Dans les années 30, alors que la radio connaît un développement spectaculaire, la chanson est encore très présente dans les rues. Elle est diffusée avant tout par les chanteurs, qui vendent des partitions "petits formats",
mais aussi reprise par les orchestres qui conduisent les bals populaires.

Bal du 14 juillet au Nouveau Byzantin →

"Si vous êtes danseur, vous rencontrerez au dancing des compagnes charmantes qui, sans que vous ayez à leur offrir la moindre rémunération, viendront se caler dans vos bras avec un sourire de favorites comblées et vous respirerez leurs parfums délicats. Et si vous ne l'êtes point, vous n'avez qu'à vous asseoir à une table et à regarder le spectacle."
(Francis de Miomandre, *Dancings*)

CHAQUE VENDREDI   L'HEBDOMADAIRE DU REPORTAGE   PRIX : 1 fr.

VOILA

LA PRISE DE LA BASTILLE

par UNE GRANDE DUCHESSE
en tournée rue de Lappe

Le 14 juillet 1936 reste un grand souvenir : le défilé a réuni un million de spectateurs place de la Nation. Sur la tribune, où l'on chantait tour à tour *La Marseillaise* et *L'Internationale,* le socialiste Marceau Pivert en Monsieur Loyal présentait aux différents orateurs ce "peuple entier qui veut la paix". Et ensuite, on alla danser à la Bastille.

La valse à tout le monde
paroles de Charles Trenet -
musique de Charles Trenet et Charles Jardin -
© éditions Beuscher 1936

Dans la Bastille
À Ménilmontant,
Garçon et fille
Vont fredonnant,
Un air qui grise
Leur jeune cœur
D'ardeur exquise
De mot charmeur.

Refrain
C'est la valse à tout l'monde
C'est la valse d'amour
Que l'on chante toujours à la ronde
Jusqu'au fin fond de nos vieux faubourgs.
Les brunes et les blondes
La redis'nt tour à tour
On se tient enlacés,
J'ai pas l'rond, t'as pas l'sou,
Mais pour danser comme des fous,
Pas besoin d'beaux habits, t'as pas d'rob's
on s'en fout,
C'est la valse à tout l'monde.

Ce soir mignonne
L'amour nous suit
L'amour se donne,
Pour une nuit,
Tendre grisette
Viens sur mon cœur
Au bal musette
Chantons en chœur.
au refrain

↓ page suivante. Musiciens des rues,
Paris, place Denfert-Rochereau

Un café au bord de la mer : on a ici abandonné les couvre-chefs et même la jupe. Après le pantalon que les femmes ont adopté dans les années 20, le short lancé en 1934 commence à s'imposer.

un autre Paris

Quand les ateliers et les magasins annoncent les premiers congés payés, en juin 1936, beaucoup restent incrédules. Certains, même chez les Parisiens, n'ont même pas l'idée de partir. Ils resteront dans la capitale, y inventant des jeux nouveaux.

↑ La journée du tandem, avenue d'Orléans, à Paris

Aragon, lors d'une conférence à la Maison de la Culture en 1936, déclarait :
"Aujourd'hui, les foules reviennent dans l'art par la photographie. Avec les
gestes exaltés des enfants qui jouent, avec les tics inconscients des flâneurs.
Cet art qui s'oppose à celui du temps relativement paisible de l'après-guerre
est bien celui de cette période des guerres et des révolutions où nous sommes,
dans le moment que son rythme se précipite."

↑ Concours de patins à roulettes

Au bord de la Seine →

Au pied de l'île de la Cité, à quelques encablures du domicile de Léo Lagrange, quai Malaquais. Réunissant ses amis – Jean Prévost et Marcelle Auclair, André Chamson, Jean Guéhenno –, Lagrange leur déclarait : "Les hommes un jour auront vécu selon leur cœur."

Pour être heureux... chantez !

paroles de Pierre Bayle et Léopold de Lima -
musique de Casimir Oberfeld et Paul Fontaine -
© éditions Vog / Méridian 1936

Dans la vie, malgré tout c'qu'on raconte,
On peut être heureux de temps en temps...
Moi, qui n'aim' pas les gens qui s'démontent,
Je vous donne un conseil épatant

Refrain
Chantez,
Dès qu'un petit rayon de soleil discret,
Paraît !
Chantez,
Quand vous voyez des amoureux enlacés,
Passer !
Et surtout, chantez
Quand vous allez retrouver celle qui vous
Rend fou !
Cherchez partout la gaieté
Pour être heureux, chantez !

Voulez-vous conserver la jeunesse
Et voir la vie sous un jour meilleur ?
Faites donc la nique à la tristesse,
Et dans un élan de bonne humeur :

Refrain
Chantez,
Au saut du lit, pour vous mettre, dès l'matin,
En train !
Chantez,
Quand vous dégringolez les march's du métro
Au trot !
Et surtout, chantez
Aussitôt que vous avez un petit em
Bêt'ment
Prenez tout du bon côté !
Pour être heureux, chantez !

Les ennuis,
Les soucis,
C'est certain, nous en avons aussi...
Mais voilà,
Nous somm's là,
Pour décider qu'nous n'en parl'rons pas !
Si vous êt's bien de mon avis,
Envoyez-moi tous vos amis
Je les accueill'rai gentiment,
En leur disant :

Refrain
Chantez,
Vous, Mesdam's quand on vous offre avec douceur
Des fleurs !
Chantez,
Vous, Messieurs, quand vous voyez un trottin qui
Sourit !
Et surtout, chantez,
Pour vous donner, quand parfois l'cafard vous prend,
Du cran !
Au lieu de vous lamenter,
Pour être heureux, chantez !

← À Paris, sur le parvis du Panthéon

Concours de trottinettes à Paris :
pour les enfants, l'esplanade des
Invalides devient un stade.
En 1937, au moment de l'Exposition
internationale, elle accueillera la section aéronautique : on y volera plus
haut.

La Seine, encore saine, du moins en appa-
rence, fait office de piscine. Faute de
plage, un semblant de rivage leur donne un
peu de rêve...

à la guinguette

Quand on s'promène au bord de l'eau

paroles Julien Duvivier - musique Maurice Yvain -
© éditions Royalty / Warner Chappell - 1936

Du lundi jusqu'au sam'di,
Pour gagner des radis,
Quand on a fait sans entrain
Son p'tit truc quotidien,
Subi le propriétaire,
L'percepteur, la boulangère,
Et trimballé sa vie d'chien,
Le dimanch' viv'ment
On file à Nogent,
Alors brusquement
Tout paraît charmant ! ...

Refrain
*Quand on s'promène au bord de l'eau,
Comm' tout est beau...
Quel renouveau...
Paris au loin nous semble une prison,
On a le cœur plein de chansons.
L'odeur des fleurs
Nous met tout à l'envers*

*Et le bonheur
Nous saoule pour pas cher.
Chagrins et peines
De la semaine,
Tout est noyé dans le bleu, dans le vert...
Un seul dimanche au bord de l'eau,
Aux trémolos
Des p'tits oiseaux,
Suffit pour que tous les jours semblent beaux
Quand on s'promène au bord de l'eau.*

J'connais des gens cafardeux
Qui tout l'temps s'font des ch'veux
Et rêv'nt de filer ailleurs
Dans un monde meilleur.
Ils dépens'nt des tas d'oseille
Pour découvrir des merveilles.
Ben moi, ça m'fait mal au cœur...
Car y a pas besoin
Pour trouver un coin
Où l'on se trouv' bien,
De chercher si loin...

au refrain

82

Aimez-vous les moul's marinière ?

paroles de Michel Vaucaire - musique de Rudi
Révil - © éditions Coda / Leduc - 1936

Pourquoi,
J'voudrais bien savoir pourquoi
Y a des gens qui rest'nt à Paris,
À Paris
Où qu'il fait si chaud ?
L'mois d'août,
Mais c'est merveilleux l'mois d'août
Et je ne connais rien d'plus beau
Qu'un dimanch' près de l'eau...

Refrain

Aimez-vous les moul's marinière,
La fritur' des p'tits restaurants ?
Aimez-vous voir sur la rivière
Passer lentement les chalands,
Sur la Seine ou l'Oise légère,
Ou bien sur la Marne à Nogent,
Aimez-vous les moul's marinière
Arrosé's d'un lit' de vin blanc ?

Tant pis,
Pour les moustiques tant pis :
On va roupiller su' l'gazon,
Su' l'gazon
Allez hop au lit !
On dort,
Tout près l'un de l'autre on dort,
On rêve qu'on est riche et heureux ;
Y a-t-il quequ'chos' de mieux ?

au refrain

Toujours,
On jur' de s'aimer toujours.
Le soir en dînant près de l'eau,
Près de l'eau
C'est si beau l'amour.
L'phono,
Il nous fait rêver, l'phono,
Et tendrement après chaqu' plat,
On danse une java...

au refrain

Ici l'on pêche
paroles et musique de Jean Tranchant -
© éditions Sam Fox / Warner Chappell - 1933

> Allez-y donc, qui vous empêche
> C'est à deux pas, pas loin d'ici.
> Ça porte un nom : "Ici l'on pêche"
> Vous y pêcherez aussi.

Certains participent à des concours
de danse dans les guinguettes.
Ici, sous le regard attentif des
parents, un concours de pêche…
autrement sérieux !

C'est la guinguette

paroles de Camille François - musique de Gaston
Claret - © éditions Sam Fox / Billaudot - 1935

C'est sur les bords de la Seine
Pas très loin de Charenton
Que ceux qui travaill'nt la s'maine
Se rafraîchiss'nt les poumons,
L'air qui vient dans la poitrine
C'est l'bonheur... c'est la santé
Et s'il sent un peu l'usine
Il a l'goût d'la liberté.

Mais c'est surtout la guinguette,
La guinguette au bord de l'eau
Qui fait tourner dans les têtes
Les mots que l'on croit nouveaux.
On entend chaque dimanche
Parmi les branches
Les tourtereaux
Échanger l'aveu d'amour
Qui doit les lier pour toujours.
Une bonne odeur de frites,
Vient griser les délicats.
Et l'accordéon excite
Les sens avec un' java.
Tout est joyeux... c'est la fête
Quand on quitte le boulot
Pour aller à la guinguette
À la guinguette au bord de l'eau.

Le rire des belles filles
Fusant sous les parasols
Se confond avec les trilles
Que lancent les rossignols.
Le bourgogne est un' merveille
Il chauffe et ragaillardit...
C'est du soleil en bouteille
Même quand on boit la nuit.

Mais c'est surtout la guinguette
La guinguette au bord de l'eau
Qui fait tourner dans les têtes
Les mots que l'on croit nouveaux ;
On entend chaque dimanche
Parmi les branches
Les tourtereaux
Échanger l'aveu d'amour
Qui doit les lier pour toujours.
Effeuillant la marguerite,
Ils disent aussi tout bas
En observant bien les rites
Des choses qu'on n'entend pas.
Tout est joyeux... c'est la fête
Le cœur chante sa chanson
Mais les baisers sont honnêtes...
Ainsi le disent... les garçons.

Les anné's vivement passent
Les cheveux deviennent blancs ;
Bien des souvenirs s'effacent
Dans la grande nuit des temps...
Des minutes les meilleures
On voudrait se souvenir
Et l'on sourit quand demeure
Un peu des anciens plaisirs.

Mais c'est surtout la guinguette
La guinguette au bord de l'eau
Qui rapporte de nos fêtes
Les souvenirs les plus beaux.
Qu'ils étaient beaux les dimanches
Quand sous les branches
Les tourtereaux
Échangeaient l'aveu d'amour
Qui devait les lier toujours.
Si nous revoyons sans cesse
Tous ces ravissants bosquets
C'est que de notre jeunesse
Ils ont gardé les secrets.
Et quand un souci nous guette
Fermant les yeux aussitôt
Nous rêvons à la guinguette
À la guinguette au bord de l'eau.

C'est la guinguette

JAVA CHANTÉE

CRÉATION DE

DENISYS

Paroles de
CAMILLE FRANÇOIS

Musique de
GASTON CLARET

LES EDITIONS MUSICALES
SAM FOX
PARIS
40ᴰⁱˢ FAUBᵍ POISSONNIÈRE.Xᵉ
NEW-YORK · LONDRES · BERLIN · BRUXELLES

Chant et Piano : **6 fr.**
Chant seul : **1 fr. 50**

Aux quatre coins d'la banlieue

Paroles : Michel Vaucaire
Musique : Rudolf Révil
© Editions CODA - 1937

Dans le train
On saute en vitesse à sept heures du matin !
Un ouvrage, un bouquin,
Chacun s'install' dans un coin ;
Et l'on va travailler, gagner son pain…
Des murs noirs,
Le long du parcours c'est tout c'que l'on
       peut voir !
Des faubourgs enfumés,
Des avenues désolées ;
Mais tout se transforme soudain.

Refrain

Aux quatre coins d'la banlieue de Paris,
L'dimanche on entend d'la musique
C'est à celui qui fera le plus d'bruit,
Phonos ou pianos mécaniques
On danse et l'on boit,
On n'a que ce jour-là…
Et quand on s'amuse un'journée
C'est si vit' passé !
Aux quatre coins d'la banlieue de Paris,
L'dimanche on oubli' ses ennuis !

DAMIA

Columbia

Mais le soir,
La pauvre banlieue redevient triste et noir' !
On éteint les lampions
On n'entend plus de chansons
Et l'on songe à regret au lendemain…
Dans son lit,
Avant d's'endormir on repense à l'ami…
On vient de se quitter
On se r'verra, c'est juré
Mais c'est bien loin dimanch' prochain…

Au refrain

Le doux Caboulot

POÈME DE FRANCIS CARCO

MUSIQUE DE JACQUES LARMANJAT

Prix imposé
1.50

Editions ARLEQUIN
9, Faub?. St Martin
PARIS Xᵉ
Tous droits reservés
Imp. Rolland Père et Fils Paris

StudioPIAZ

Le Grand Succès de Marie **DUBAS**
au Casino de Paris
Marie DUBAS disques ODÉON   N? 166-553
HÉRITZA   disques POLYDOR. N? 522-357

EN VENTE
chez
Marcel LABBÉ
20, Rue du Croissant
PARIS 2ᵉ

Le doux caboulot

paroles : Francis Carco - musique : Jacques Larmanjat -
© éditions Arlequin / Breton - 1931

Le doux caboulot,
Fleuri sous les branches
Est, tous les dimanches,
Plein de populo.

La servante est brune,
Que de gens heureux.
Chacun sa chacune,
L'une et l'un font deux.

Amoureux épris
Du culte d'eux-mêmes.
Ah ! sûr que l'on s'aime,
Et que l'on est gris.

Ça durera bien
Le temps nécessaire
Pour que Jeanne et Pierre
Ne regrettent rien.

Dimanche dans les bois ↑

pique-niquer

Les photos de l'été 1936 resplendissent de soleil, qu'on s'y expose ou qu'on s'en abrite. En réalité, la saison a été très pluvieuse, au point que Jean Renoir a dû abandonner le 15 août le tournage de son film *Une partie de campagne*.

Sur les bords de l'Aube →

Le hasard cher à Cartier-Bresson fait qu'on se croirait devant une photo de... Cartier-Bresson. D'autant qu'elle a été prise à Rouen, la ville de sa famille maternelle : "Ce qu'il y a de beau en photographie, c'est que tout à coup, des personnages jaillissent comme ça, devant nous, et il faut les saisir. C'est ça la poésie."

partir en train

En juillet 1936, Léo Lagrange, sous-secrétaire d'État à l'Organisation des sports et loisirs, convoque les directeurs des compagnies de chemin de fer : "Il me faut des billets de congés payés à 50 %." Il obtiendra finalement 40 % à l'arraché, quatre jours avant les grands départs : des "billets populaires" valables de 5 à 31 jours.

Puisque vous partez en voyage

paroles de Jean Nohain - musique de Mireille -
© éditions Vianelly / Breton - 1935

‹couplet›(parlé)
Savez-vous que c'est la première fois que
nous nous séparons depuis que c'est arrivé ?
Remarquez que ça ne fait que quinze jours !...
Évidemment, quinze jours ce n'est pas très
long...
Mais songez tout de même à ce que ça fait
d'heures !...

Puisque vous partez en voyage
Puisque nous nous quittons ce soir
Mon cœur fait son apprentissage
Je veux sourire avec courage
Voyez j'ai posé vos bagages,
Marche avant, côté du couloir
Et pour les grands signaux d'usage
J'ai préparé mon grand mouchoir.

Dans un instant le train démarre
Je resterai seul sur le quai
Et je vous verrai de la gare
Me dire adieu là-bas avec votre bouquet.
Promettez-moi d'être bien sage
De penser à moi tous les jours
Et revenez dans notre cage
Où je guette votre retour.

‹couplet›(parlé)
Voilà, je vous ai trouvé une bonne place dans
un compartiment où il y a une grosse dame et
un vieux curé avec une barbe blanche.
Et puis je vous ai acheté deux livres...
Le premier, c'est la vie des saintes...
Et l'autre, c'est l'exemple de la bienheureuse
Ernestine...
Cela vous plaît ?

Puisque vous partez en voyage
Vous m'avez promis ma chérie
De m'écrire quatorze pages
Tous les matins ou davantage.
Pour que je voie votre visage
Baissez la vitre je vous prie
C'est affreux je perds tout courage
Soudain je déteste Paris.
Le contrôleur crie : « En voiture »
Le cochon il sait pourtant bien
Que je dois rester, mais je jure
Que s'il le crie encore une fois, moi je viens.
J'ai mon amour pour seul bagage
Et tout le reste je m'en fous
Puisque vous partez en voyage
Ma chérie... je pars avec vous.

Attente du train le 15 août 1936 →

↑ page précédente. Départ pour la Côte d'Azur

Extrait d'une émission de conseils à la radio avant le départ, en juin 1938, après deux ans d'expérience : "D'abord ne pas s'énerver, combien de gens qui s'affolent au moment des départs ! Les femmes trépignent ou se lamentent au milieu des colis à faire, devant des valises trop petites, des sacs qui ferment mal, des cartons tellement bourrés qu'ils sont défoncés avant qu'on ait atteint la gare ! Le remède, c'est de ne pas s'encombrer de colis, c'est de concevoir une réduction au minimum du vêtement, surtout si les déplacements doivent être nombreux. Notre règle sera donc : du calme, avant tout du calme. Entraînez-vous à répéter la formule joyeusement à l'avance et vous serez sauvés."

← Gare Montparnasse, départ vers la Bretagne

"Les vélos étaient inséparables de nos étés d'avant-guerre. On les voyait dans les gares, groupés au bout des quais, pendus comme des quartiers de viande à la potence des chariots spécialisés, leurs guidons dévissés d'un quart de tour afin de réduire leur encombrement.
Nous ne savions pas qu'ils allaient devenir nos plus fidèles compagnons des cinq années à venir et que nous surveillerions leur fatigue, leur usure, l'épuisement de leurs pneus avec une vigilance pleine d'angoisse."
(François Nourissier, *Des petits babas au rhum*)

Gare Saint-Lazare, Paris, 31 juillet 1936 →

partir à vélo

Au printemps 1937, une émission radio du Centre d'Éducation Ouvrière décrit les week-ends populaires : "Les cyclistes ont pris les premiers la route. Il y a vraiment dans cette ivresse de grand air quelque chose de nouveau pour les citadins. Certes, on allait bien, autrefois une ou deux fois par an à la campagne, les lundis de grande fête par exemple, mais ce n'était pas la même chose."

Le tandem n'est pas l'apanage des jeunes. Ce vieux couple expérimente déjà la mode unisexe. Et chaque génération a sa remorque…

Les Sables-d'Olonne, en Vendée →

Tandem

paroles : Jean Nohain et Jean Valmy -
musique : Mireille -
© éditions du Coquelicot - 1938

Depuis qu'un jour dans une clairière
Adam devint très amoureux
De madame Eve notre mère
Que de choses vont deux par deux !
Si le deux en arithmétique
Est le chiffre le plus charmant
De tous les sports que l'on pratique
Le tandem est assurément
Le sport rêvé pour les amants.

Refrain
Je fais du tandem
Tu fais du tandem
C'est toi qui m'entraînes
C'est moi qui t'emmène
Et lorsque tu donnes un bon coup de pédale
Je pédale en même temps, ça nous emballe
Je fais du tandem
Tu fais du tandem
C'est bon pour l'hygiène
Et ça nous promène
Je t'aime, en avant les cheveux au vent
On s'aime en f'sant du tandem !
Je t'aime en f'sant du tandem.

Loin des bruits de la grande ville
Dans une petite maison d'banlieue
Je connais des brav's gens tranquilles
Une petite vieille et un p'tit vieux
Quand la vieille a envie d'une prise
C'est l'vieux qui lui tend son tabac
Quand le vieux a la mine grise
C'est la vieille qui chante tout bas
Qui semble dire à chaque pas.

Refrain
Je fais du tandem
Tu fais du tandem
Si tu veux qu'je vienne
Il faut qu'tu m'soutiennes
C'est toi qui retrouves mes lunettes perdues
Tu m'offres ton mouchoir quand j'éternue
Je fais du tandem
Tu fais du tandem
Toujours et quand même
C'est le bon système
Jusqu'au bout de la vie marchons ainsi
Je t'aime en f'sant du tandem
Tu m'aimes en f'sant du tandem.

Avec ou bien sans bicyclette
Combien de gens vont deux par deux
Depuis Roméo et Juliette
Et depuis Tristan et Iseult
Le percepteur et l'contribuable
Sont rois du tandem aujourd'hui
Mais le contribuable est bon diable
Lui seul pédale jour et nuit
Pills et Tabet eux-mêmes ont dit :

Refrain
Je fais du tandem
Tu fais du tandem
C'est toi qui m'entraînes
C'est moi qui t'emmène
Quand tu sens qu'mon bémol va défaillir
Tu plaques un p'tit accord pour me soutenir
Mais le vrai tandem
Toujours et quand même
C'est l'union suprême
De deux cœurs qui s'aiment
A deux dans la vie
On s'en va ravis
On s'aime en f'sant du tandem !
On s'aime en f'sant du tandem !

me Année - N° 371
CHAQUE VENDREDI

L'HEBDOMADAIRE DU REPORTAGE

29 AVRIL 193

PRIX : 1 fr. 75

VOILA

Nous, les jeunes...

le Tandem

Quand le citadin rencontre le villageois, il prend à peine le temps de s'arrêter… Et, dans son for intérieur, le villageois pense : "Mais ils vont user le bitume !"

← Tandem. Environs de Pontarlier, dans le Doubs

partir en auto

Une voiture s'élance, elle quitte les beaux quartiers et symbolise l'expansion très importante, en dépit de la crise économique, de l'industrie automobile ; de plus en plus de foyers attendent un véhicule.

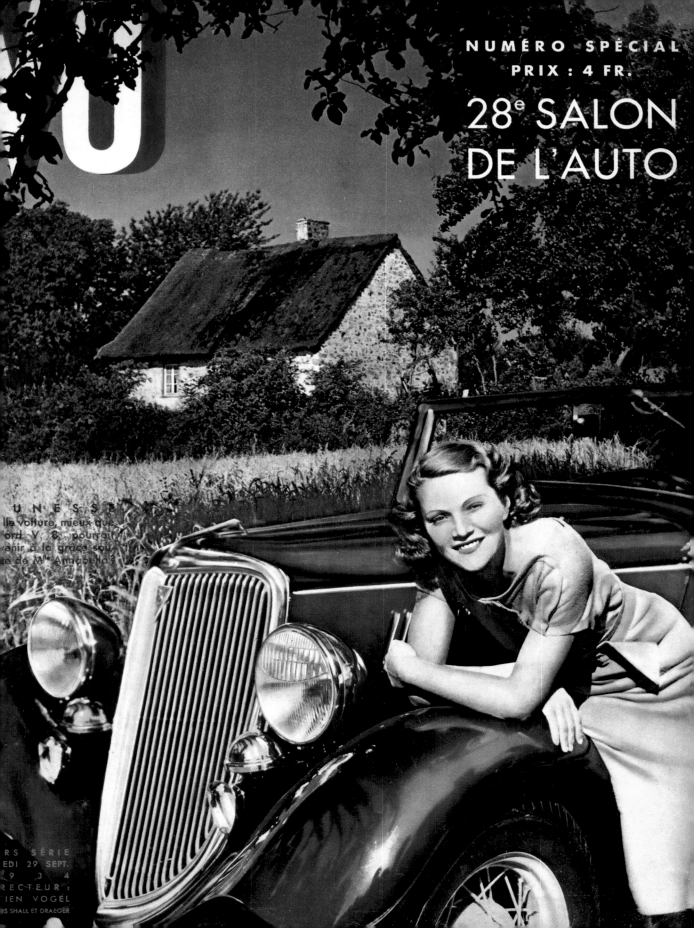

NUMÉRO SPÉCIAL
PRIX : 4 FR.

28e SALON DE L'AUTO

U N E S S E
lle voiture, mieux que
ord V. 8 , pourrait
venir à la grâce sou
re de Mlle Annabella?

RS SÉRIE
EDI 29 SEPT.
9 3 4
RECTEUR :
EN VOGEL
S SHALL ET DRAEGER

Prends la route

paroles : Jean Boyer -
musique : Georges Van Parys -
© éditions Salabert - 1936

Quand, des mois entiers,
On a respiré l'air de la ville,
On se sent fragile
Et l'on ne tient plus sur ses pieds !
On souffre du cœur,
On perd l'appétit,
On est fébrile,
Et, comme on a peur,
On va consulter son docteur
« Prenez d'l'huil' de ricin »
Vous ordonn' le méd'cin.
Il f'rait mieux, c'est certain,
D'vous dir', s'il était plus malin

Prends la route,
Mon p'tit gars,
Prends la route
Et n't'en fais pas,

Tu guériras !
Prends la route de ton choix,
Prends la route et va tout droit,
Elle est à toi !
L'air de Paris
Te donne le teint gris,
Mais le grand air
Te le rendra plus clair ;
Plus de gouttes
Pour la toux,
Prends la route,
Ell' guérit tout !
Prends la route
Et mets les bouts !

Dir' qu'il y a des gens,
Tenez, je bondis lorsque j'y pense,
Qui n'prenn'nt pas d'vacanc's
Afin d'gagner bien plus d'argent !
Ils ont des millions,
Je m'demande à quoi ça les avance.
Tout's leurs émotions,
Ça finit par un' congestion !

Pourquoi courir ce risqu',
Pour fair' plaisir au fisc ?
Ben, moi qui suis sans un,
J'aim'rais pouvoir dire à chacun

Prends la route,
Mon p'tit gars,
Prends la route
Ou bien tu s'ras
Bientôt gaga !
Prends la route de ton choix,
Prends la route et va tout droit,
Elle est à toi !
Pour ton boulot,
Laiss' fair' ta dactylo ;
Qu'importe si
Ell' se débine aussi !
La banqu'rout',
Ça s'port' beaucoup !
Prends la route
Ell' guérit tout !
Prends la route
Et mets les bouts.

← Un départ euphorique vu par Robert Doisneau …

↑ … et la panne !

Ça...c'est de la bagnole

paroles : Georgius - musique : Henri Poussigue -
© éditions Beuscher - 1937

Quand j'ai connu Mimi, j'ai voulu l'épater
Oui mais... pas riche !... alors... que faire ?
Lui offrir des bijoux ? Il n'y faut pas songer
Et c'est pas ça qu'les femm's préfèrent
Maint'nant ell's sont au sport
Vous devinez alors
C'que j'ai depuis quèqu'temps.

Pour promener Mimi,
Ma p'tite amie Mimi,
Et son jeun' frèr' Toto,
J'ai une auto.
J'l'ai payée trois cents ball's
Chez Monsieur Annibal
Le marchand d'occasion
D'la rue de Lyon.
Ell' fait autant de bruit qu'un gros camion
cinq tonn's,
Les gens m'entend'nt venir, j'ai pas besoin
d'klaxon,
Mais je m'pouss' du faux col.
Car, ça... c'est d'la bagnol'
Ce n'est pas du tacot,
J'ai une auto.

Dans ma petit' voiture on ne fait pas du cent,
Y a qu'un défaut : Les roues s'dévissent,
Faut r'serrer les écrous après chaque tournant,
Notez que ça fait d'l'exercice,
J'en perds un' quelquefois
Mais il en reste trois ;
Somm' tout y a un tas d'gens
Qui n'en ont pas autant.

Pour promener Mimi,
Ma p'tite amie Mimi,
Et son jeun' frèr' Toto,
J'ai une auto.
C'est le genr' torpédo,
C'est chouett' quand il fait beau
Mais s'il tomb' de la flott'
Y a pas d'capot'.
Mimi ouvr' son Tom-Pouc', grand comme un
champignon,
Moi l'eau me gliss' dans l'cou et dans mon
pantalon,
Mais je m'pouss' du faux col.
Car ça c'est d'la bagnol'
Ce n'est pas du tacot,
J'ai une auto.

Enfin nous arrivons... Regardez ce ciel bleu,
Voilà le but de not' voyage,
On va passer l'week-end... comme
des bienheureux.
Allons Grand Hôtel de la Plage,
Arrêtons d'vant l'portier,
On va bien l'épater ;
Mais pourquoi rigol'-t-il
Cett' espèc' d'imbécil' ?

Pour promener Mimi,
Ma p'tite amie Mimi,
Et son jeun' frèr' Toto,
J'ai une auto.
Y a plus d'chambr's ?... Nom d'un chien
Il n'y a plus rien de rien.
Y a qu'un' baignoir' d'enfant ?
C'est pas marrant.
Ben... Toto y couch'ra...Vous occupez pas d'nous
Mimi... Y a la voiture... Elle est là pour un coup,
Ell' est p't-êt' tartignol'
Mais ça c'est d'la bagnole
Où j'f'rai cocorico,
Viv' mon auto.

En Corrèze, les grandes vacances vues par Robert Doisneau →

camper

Extrait d'une émission de conseils à la radio avant le départ, en juin 1938 : "Il y a deux façons de concevoir la période de vacances. Ou bien vous choisirez un lieu de résidence, une plage, une station dans la montagne, un village en pleine campagne, au bord de l'eau ; et là vous vivrez paisibles, coupant le séjour de quelques excursions joyeuses. Ou bien, en randonneurs, vous irez à travers toute une région, ceux-là par le train et les autocars, d'autres dans leur modeste voiture personnelle, d'autres en tandem, quelques-uns en partie à pied même, car parmi le peuple, l'âme du chemineau n'est pas morte."

Boris Pasternak déclarait en 1935 au Congrès des intellectuels antifascistes :
"Et maintenant, camarades, il faut faire quelque chose pour rendre la vie plus légère."
L'année suivante, les Campeurs de France, groupe pionnier issu du Touring club de France, devient une organisation de masse : le Camping club de France.

Ce petit chemin

paroles : Jean Nohain -
musique : Mireille -
© éditions Breton - 1933

Pour aller à la Préfecture
Prends la route numéro trois
Tu suis la file des voitures
Et tu t'en vas tout droit, tout droit...
C'est un billard, c'est une piste
Pas un arbre, pas une fleur
Comme c'est beau, comme c'est triste
Tu feras du cent trente à l'heure
Mais moi, ces routes goudronnées...
Toutes ces routes
Me dégoûtent,
Si vous m'aimez, venez, venez...
Venez chanter, venez flâner !...
Et nous prendrons un raccourci :
Le petit chemin que voici...

Ce petit chemin... qui sent la noisette
Ce petit chemin... n'a ni queue ni tête
On le voit

Qui fait trois
Petits tours dans les bois
Puis il part
Au hasard
En flânant comme un lézard...
C'est le rendez-vous de tous les insectes
Les oiseaux pour nous, y donnent leurs fêtes
Les lapins nous invitent
Souris-moi, courons vite !...
Ne crains rien
Prends ma main
Dans ce petit chemin...

Les routes départementales
Où les vieux cantonniers sont rois
Ont l'air de ces horizontales
Qui m'ont toujours rempli d'effroi...
Et leurs poteaux télégraphiques
Font un ombrage insuffisant
Pour les idylles poétiques
Et pour les rêves reposants...
À bas les routes rebattues
Les tas de pierres,
La poussière
Et l'herbe jaune des talus...
Les cantonniers, il n'en faut plus ! ...
Nous avons pris un raccourci :
Le petit chemin que voici...

Ce petit chemin... qui sent la noisette
Ce petit chemin... m'a tourné la tête
J'ai posé
Trois baisers
Sur tes cheveux frisés
Et puis sur
Ta figur'
Toute barbouillée de mûres...
Pour nous observer, des milliers de bêtes
Se sont installées par-dessus nos têtes
Mais un lièvre, au passage
Nous a dit : Soyez sages !...
Ne crains rien
Prends ma main
Dans ce petit chemin...

La marche des campeurs

paroles : Brévard et Parrisé - musique : Albert Huard -
© éditions Albert Huard - 1937

Les amoureux de la nature
Sont des compagnons voyageurs
Qui gaiement vont à l'aventure
Faire provision de bonheur

C'est tout une belle jeunesse
Avide de joie et d'air pur
Qui s'en va le cœur plein d'ivresse
Sous le beau ciel frangé d'azur.

Sous notre tente

paroles : Simons -
musique : Adolphe Deprince et J. Van Caillie -
© éditions Solry - 1938

Sous les étoiles, ce toit si léger,
Est comme un voile de félicité.
Sous notre tente, quand on y est bien
  blotti,
Avec nous le bonheur y loge aussi !

J'ai ta main

paroles et musique : Charles Trenet -
© éditions Vianelly / Breton - 1937

Nous sommes allongés
Sur l'herbe de l'été.
Il est tard on entend chanter
Des amoureux et des oiseaux.
On entend chuchoter le vent
       de la campagne.
On entend chanter la montagne.

Refrain
J'ai ta main dans ma main.
Je joue avec tes doigts.
J'ai mes yeux dans tes yeux
Et partout l'on ne voit
Que la nuit, belle nuit,
Que le ciel merveilleux,
Qui fleurit tour à tour, tendre et mystérieux.
Viens plus près, mon amour, ton cœur
       contre mon cœur
Et dis-moi qu'il n'est pas de plus charmant
       bonheur
Que ces yeux dans le ciel,
Que ce ciel dans tes yeux,
Que ta main qui joue avec ma main.

Je ne te connais pas.
Tu ne sais rien de moi.
Nous ne sommes que deux vagabonds,
Fille des bois, mauvais garçon.
Ta robe est déchirée.
Je n'ai plus de maison.
Je n'ai plus que la belle saison.

Refrain
Et ta main dans ma main
Qui joue avec mes doigts.
J'ai mes yeux dans tes yeux
Et partout, l'on ne voit
Que la nuit, belle nuit,
Que le ciel merveilleux,
Qui fleurit tour à tour, tendre et mystérieux.
Viens plus près, mon amour, ton cœur
       contre mon cœur
Et dis-moi qu'il n'est pas de plus charmant
       bonheur.
On oublie l'aventure
Et la route et demain
Mais qu'importe puisque j'ai ta main !

avoir vingt ans en 1936

"Il faut que nos Auberges soient autre chose que de simples maisons anonymes de passage. Elles doivent être de véritables foyers où dans l'amour commun de la nature, de la vie pure et fraternelle, dans l'amitié et la bonté, se nouent des liens d'une camaraderie toute spirituelle."
(Marc Sangnier, grande figure catholique, père fondateur des Auberges de la Jeunesse)

À Pontarlier, dans le Doubs →

C'est l'auberge de la jeunesse

paroles : Simons - musique : Maurice
Dehette et Robert Solry -
© éditions Solry - 1938

À l'auberge de la jeunesse,
Célébrons à l'unisson
La plus belle de nos hôtesses :
L'amitié qui unit filles et garçons.
On acclame plein d'allégresse
Les beautés de cette union.
Pour les jeunes, la seule adresse
C'est l'auberge de la jeunesse !

Les Sables-d'Olonne, en Vendée →

Au-devant de la vie

paroles : Jeanne Perret -
musique : Dimitri Chostakovitch -
© éditions ESI / Le Chant du Monde - 1933

Déjà s'enfuit l'aube vermeille
Aux premiers feux d'un nouveau jour
Déjà la grand ville s'éveille,
Ouvrier, debout à ton tour...

Refrain

Debout, amie, et dans la joie
Éveille-toi,
Allons dans le matin
Allons vers le destin.

Tout vit, tout travaille et tout vibre,
Prenons notre part du labeur,
Ardents et fiers d'être libres
Allons au-devant du bonheur.

Refrain

Dans l'allégresse, il faut venir,
Debout, jeunesse,
Allons vers le soleil vermeil
De l'avenir.

Il faut qu'à jamais l'injustice,
Disparaisse de notre chemin,
Pour qu'enfin par nous s'établisse
Pour tous un lumineux destin.

Refrain

Amis, debout, et cœur à cœur
Et pour toujours
Allons vers le soleil vermeil
Et vers l'amour.

Allons au-devant de la vie
Allons au-devant du progrès
Et pour que chacun ne nous envie
Créons du bonheur sans arrêt.

Refrain

Allons, amis, vers la lumière
Et l'âme fière
Fils de la liberté
Devant l'humanité.

Au devant de la vie

Paroles françaises de
JEANNE PERRET

Musique de
D. CHOSTAKOVITCH

LES EDITIONS LE CHANT DU MONDE

Pour la vente : Editions MICRO, 14, rue de Washington · Paris · 8e – Bal 13 03

Soutenues par Léo Lagrange, les Auberges de la Jeunesse ont fait la grande originalité de la politique des loisirs juvéniles sous le Front populaire :
"Réunir les jeunesses intellectuelles, ouvrières et paysannes, établir un contact entre les jeunes de tous les pays, voilà le magnifique but des Auberges de la Jeunesse. L'Auberge est une véritable petite République des Jeunes, où discussions politiques et religieuses sont également bannies, ainsi que tout ce qui peut diviser."
(*Le cri des Auberges,* bulletin du Centre Laïque des Auberges de la Jeunesse)

144   ↑ À l'auberge de Jeunesse de Pontarlier   Sur les chemins de Sablé-sur-Sarthe →

Jeunesse

paroles : Paul Vaillant-Couturier -
musique : Arthur Honegger -
© éditions ESI / Le Chant du Monde - 1937

Nous sommes la jeunesse ardente
Qui veut escalader le ciel,
Dans un cortège fraternel
Unissons nos mains frémissantes,
Sachons protéger notre pain.
Nous bâtirons un lendemain
Qui chante.

Refrain
En avant ! jeunesse de France
Faisons se lever le jour,
La victoire avec nous s'avance,
Fils et filles de l'espérance
Nous ferons se lever le jour
À nous la joie
À nous l'amour.

Un ciel rayonnant nous convie
À la conquête du bonheur
Avec nos vingt ans d'un seul cœur
Le monde entier se lève et crie :
Place, place au travail vainqueur
Chantons, amis, chantons en chœur
La vie.
au refrain

Nous, les fils de quatre-vingt-treize
De la Commune aux noirs charniers,
Et des héros de Février
Pour que la haine enfin s'apaise
Sur nos champs et sur nos cités
Nous vous apportons l'unité
Française !
au refrain

Un clin d'œil de Willy Ronis →

Les feux de camp

paroles et musique : Jean Tranchant -
© éditions Beuscher - 1938

D'où vient là-bas ce nuage blanc ?
Ce sont les campeurs de France
Qui s'installent en chantant
Sur la grand'route de Provence.

Ils ont allumé leurs feux.
Les reflets d'alcool joyeux
Vont troubler l'humble décor
Du village qui s'endort.

↑ Les canoës, par Robert Doisneau   ↓ pages suivantes. Départ des campeurs devant la gare de Lyon

REYMOND
un grand succes
JEAN TRANCHANT
MARCHE DES CAMPEURS DE FRANCE
LES FEUX DE CAMP
EDITIONS ET INSTRUMENTS
PAUL BEUSCHER · PARIS
27. Boulevard BEAUMARCHAIS
GRAND PRIX
au Grand Concours de la Meilleure Chanson de Marche des
Campeurs de France

les jolies colonies

Expérimentées à partir de 1876 par le pasteur suisse Hermann Walter Bion, les premières colonies de vacances offrent aux enfants des quartiers pauvres de Zurich, menacés par la tuberculose, deux semaines de vie au grand air. En 1882, grâce à un rapport du pasteur Bion présenté au Congrès International d'Hygiène de Genève, les colonies de vacances reçoivent une consécration scientifique. L'idée se répand alors à travers la Suisse, puis l'Europe, les États-Unis, l'Amérique du Sud et le Japon. En France, on recensait déjà 100 000 colons en 1913, ils sont 420 000 en 1936...

Colonie de vacances en Périgord, visitée par Willy Ronis →

L'organisation des colonies de vacances passe par des œuvres de bienfaisance, des syndicats, des organisations mutualistes, des coopératives ouvrières, des sociétés sportives... Elles se déroulent d'abord dans des maisons prêtées par des particuliers, puis, devant l'augmentation des besoins, dans des propriétés achetées et aménagées par les associations qui les dirigent. À partir des années 20, les colonies sont également organisées par les écoles et les municipalités.

Les séjours durent désormais de quatre à six semaines. Ils permettent aux enfants défavorisés de partir à la campagne et même de découvrir la mer.

Les colonies de vacances ont une règle d'or : "La santé par l'air, l'hygiène et l'alimentation." Dès le départ, le pasteur Bion préconisait l'encadrement d'un adulte pour 8 à 10 enfants et défendait la mixité : des principes qui sont toujours de mise.

Plage de Trégastel, en Bretagne →

découvrir la mer

La mer, pour ceux qui ne la fréquentent pas en professionnels, c'est découvrir un monde différent, l'immensité, l'eau, le sel, le sable, c'est aussi une nouvelle façon de ressentir son corps :
D'abord en vivant les pieds dans l'eau et en le libérant des miasmes de la ville...
Puis, quand vient l'âge de la sensualité, en le laissant parler...

↑ Scène de plage

VU TOURISME

plaisir

pour

tous…

PARAI
Directeu
PHOTO

↑ pages précédentes. **Trouville**

Je suis née de la mer
Et je ne le savais plus (…)
Je suis de la mer
Et ne l'ai reconnu
Qu'au bras de mon amour
Et ne l'oublierai plus.

(poème d'Angèle Vannier)

Deauville, Calvados, août 1936 →

Aux Sables-d'Olonne, des enfants bâtissent un réseau de châteaux de sable à l'ancienne.
À La Baule, les femmes construisent une tour d'un genre nouveau : l'éducation physique naissante commence par les jeunes adultes.

← La Baule

↑ Les Sables-d'Olonne

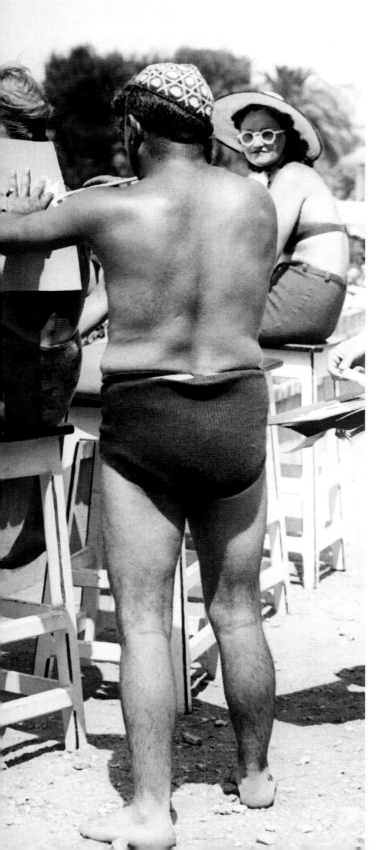

Le corps, puisqu'il devient culturel,
peut servir de toile de fond aux expé-
rimentations d'un petit groupe
d'amateurs... les précurseurs du
"body art" ?

À Sainte-Adresse, près du Havre, un paysage en mouvement à la Raoul Dufy :
les villas des grandes familles (Salacrou, Normand, Siegfried, Coty) bordent
le boulevard au-dessus de la plage devenue populaire.
À Deauville, la boîte noire du photographe fixe des estivants moins divers.

↑ Plage de Sainte-Adresse, en Seine-Maritime   Deauville →

Avant le plaisir de la natation, le bain de mer est une immersion qui a ses codes : avant de plonger, on regarde à l'entour, on joue l'hésitation, on affiche l'exaltation…

"La mode est d'être brun. Mais ce n'est pas tout, il faut aussi être fort et bien d'aplomb, il faut avoir des silhouettes sans bavures et des muscles bien dessinés, c'est pour cela que la femme, après ou avant le bain de soleil, se livre à la culture physique et que les plages modernes ressemblent aux stades de l'Antiquité." (James de Coquet, 1936)

↑   La Baule

Le plus beau refrain

(paroles : Syam - musique : Gaston Claret - © éditions Beuscher - 1937)

Le plus beau refrain de la vie
C'est celui qu'on chante à vingt ans
Celui que jamais l'on n'oublie
Car la vie n'a qu'un seul printemps.

172   ↑   Cellophane contre les coups de soleil

"Les touristes ne peuvent pas tenir trois jours dans le bourg sans aller se tremper dans la mer. Ils ne se trempent pas seulement les pieds mais tout le reste, même quand ils ne savent pas nager. Ont-ils donc le cul si sale ? A ce compte, ils n'auront plus d'odeur du tout. Et les femmes, c'est pareil. Une honte ! Avec seulement un maillot. Bientôt, elles mettront tout à l'air. Nos mères ne sont pas contentes du tout quand elles nous voient filer vers la côte le dimanche et même sur la semaine."

(Pierre-Jakez Hélias, *Le cheval d'orgueil*)

Mieux gérer son corps, c'est élargir son existence. La sûreté du geste engendre la confiance en soi. De coercitive, la gymnastique devient libératrice, en particulier pour les femmes...

← Côte d'Azur

L'éloge de la paresse, un opuscule paru en 1891 de Paul Lafargue — le gendre de Karl Marx —, est revenu au goût du jour dans les années 30, réédité par la Librairie populaire de la SFIO, puis par le Bureau d'édition du Parti communiste. Et si l'on défendait à chacun de travailler plus de trois heures par jour ? demandait Lafargue.

gloire au sport !

Avec le Front populaire, une politique du sport se met en place. Le sport n'est plus seulement un amusement qui s'épanouit dans le peu de temps que la société lui concédait ; il donne un visage collectif à la société des hommes et devient ce qui peut les réunir.

POUR LA **SANTÉ** ET LA **BEAUTÉ**

ENCOURAGER

Le plein air, l'exercice, l'athlétisme même, tout met au corps de s'épa... une nécessité pour l... ville avide de t...

PHOTO SCHALL

PHOTO JAN LUKAS

ET DU GRAND AIR...

Ah ! Les voilà

paroles : Lucien Cazalis -
musique : Gaston Claret -
© éditions Paul Beuscher -
1936

C'est jour de réjouissance
Dans chaqu' petit pays
C'est que le Tour de France
Par là passe aujourd'hui.
Et les filles coquettes
Mettent leurs beaux atours,
Rêvant d'fair' la conquête
D'un des champions du Tour.
Les gars du bourg
Rêv'nt d'être un jour
A leur tour, gars du Tour !

Refrain

Ah ! les voilà, nos beaux Tours de France
Trépignant
On attend
L'cœur battant
Sur leur vélo, ils ont la cadence
Les voici
Aguerris
Endurcis
Toutes ces gloir's du sport
Ne craignent pas l'effort
Pour la Franc' c'est un réconfort
Oui les voilà, nos chers Tours de France
Les voilà
Les voilà
Les voilà !
Ah ! les voilà !

Le jour de leur passage
De partout on afflu'
Aussi dans le village
Personne ne travaill' plus.
Les goss's quittent l'école,
Les hommes l'atelier,
C'est une ivresse folle
On ne pens' qu'à crier
Comme un putois
Quand on les voit
Rangez-vous les voilà.
Au refrain

Le p'leton passe en trombe
Il est déjà parti !
Mais voilà qu'un d'eux tombe
Et c'est un favori !
Tout l'mond' se précipite,
L'aide à se relever.
On lui dit remont' vite
Tu vas les rattraper,
Le gars pressé,
S'met à chasser…
Ça y est, tous sont passés.

Refrain

Oui les voilà, nos beaux Tours de France
De les r'voir
J'veux avoir
Quelque espoir
Sur leur vélo, ils ont la cadence
Les voici
Aguerris
Endurcis
Toutes ces gloir's du sport
Ne craignent pas l'effort
Pour la Franc' c'est un réconfort
Oui les voilà, nos chers Tours de France
Les voilà
Les voilà
Les voilà !

↓ pages suivantes. À Châteauredon, passage du Tour de France 1936

CH. PELISSIER — RENÉ VIETTO — SPEICHER — LAPEBIE — A. MAGNE — ARCHAMBAULT — LOUVIOT — LE GREVES

QUELQUES UNS DE NOS AS

Chanson Marche Officielle du Tour de France

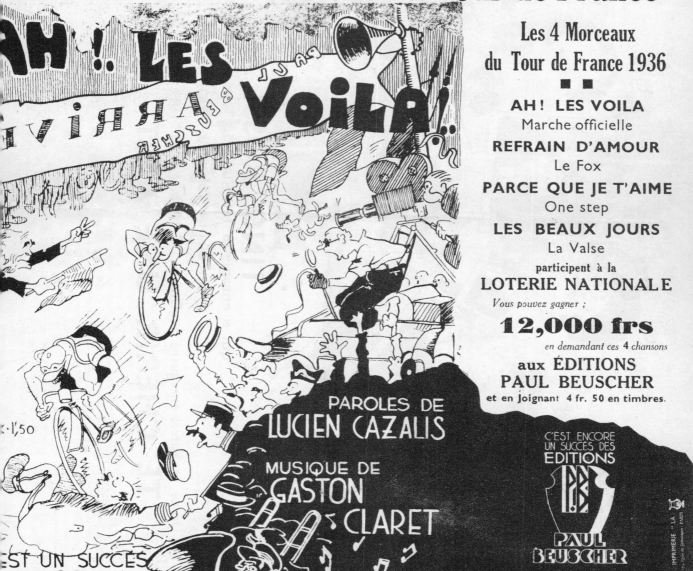

AH !... LES VOILA !

Les 4 Morceaux du Tour de France 1936

AH ! LES VOILA
Marche officielle

REFRAIN D'AMOUR
Le Fox

PARCE QUE JE T'AIME
One step

LES BEAUX JOURS
La Valse

participent à la
LOTERIE NATIONALE

Vous pouvez gagner :

12,000 frs

en demandant ces 4 chansons

aux **ÉDITIONS PAUL BEUSCHER**
et en joignant 4 fr. 50 en timbres.

PAROLES DE
LUCIEN CAZALIS

MUSIQUE DE
GASTON CLARET

C'EST ENCORE
UN SUCCÈS DES
ÉDITIONS
PAUL BEUSCHER

EST UN SUCCÈS DES

Éditions et Instruments PAUL BEUSCHER

27, Boulevard Beaumarchais — PARIS (Bastille)

La vente de ce Recueil est interdite aux Étalagistes et Marchands de Musique, sous peine de poursuites

Georges Briquet, le grand chroniqueur du Poste Parisien, disait : "Le Tour est une occupation de cœur très utile."
En 1936, pendant que les disques Pathé continuent de publier des chansons du Tour par le chanteur populaire Jean Cyrano, *L'Humanité* tente avec Pierre Mars une chronique politique, "Le Tour de France du Front populaire", qui n'aura pas de suite.

Depuis 1930, le Tour fonctionnait sans heurts par équipes nationales. Les premiers incidents sérieux commencent en 1937, l'année où Roger Labépie (ici à droite sur la photo) remporte l'épreuve. Deux ans plus tard, en 1939, les Allemands et les Italiens décident de ne pas participer au Tour.

La voix du Front populaire s'est tue, mais son écho demeure

L'effervescence du Rassemblement populaire se distingue des idéologies autoritaires du moment – qu'elles soient de droite comme dans les pays fascistes, ou de gauche comme en URSS – car, chez les acteurs de la politique du Front populaire, on peut parler d'une véritable générosité.

Elle sera hélas bientôt contrecarrée par l'aggravation de la situation internationale. En particulier la guerre civile en Espagne, dont l'effet dévastateur sur les esprits a vite accentué les contradictions entre les partenaires du Rassemblement. Tiraillé entre une logique pacifiste et une logique antifasciste, celui-ci ne peut en effet conserver longtemps sa cohésion.

Au niveau politique, le Front populaire passe très vite : le premier gouvernement de Léon Blum dure jusqu'en juin 1937. Le Sénat lui ayant refusé les pleins pouvoirs financiers, ce dernier préfère démissionner et le radical Camille Chautemps lui succède. Après un intermède, où Blum retrouvera brièvement Matignon en mars 1938, viendra le temps du radical Edouard Daladier (jusqu'au mois de mars 1940).

Pourtant, dans bien des esprits à travers le pays, perdure l'espoir que le Front populaire a insufflé. Au printemps 1938, dans le film *Feux de joie*, les Collégiens de Ray Ventura chantent encore *Qu'est-ce qu'on attend* :

Qu'est-c' qu'on attend pour être heureux ?
Qu'est-c' qu'on attend pour perdr' la tête ?
La route est prête, le ciel est bleu
Y a des chansons dans le piano à queue...
Il y a d'l'espoir dans tous les yeux
Y a des soupirs dans chaqu' fossette
L'amour nous guette, c'est merveilleux

Qu'est-ce qu'on attend (bis)
Qu'est-ce qu'on attend pour être heureux ?
(paroles d'André Hornez - musique de Paul Misraki - éditions Ventura / Warner - 1938)

Mais, dans la classe politique parisienne, ne subsiste plus du Rassemblement populaire de 1935 que le face-à-face d'une SFIO, elle-même divisée, et du PCF dans des réunions de comité qui dureront jusqu'au mois d'août 1939. La signature du Pacte germano-soviétique le 23 août met fin à ces rendez-vous irréels.

Si le Front populaire a pu donner à beaucoup l'illusion que l'on pouvait rêver d'un monde en paix, la réalité a prouvé l'inverse.

En 1935, ce qui faisait désespérer faisait aussi sourire : on fredonnait alors à satiété *Tout va très bien, Madame la marquise*, chanson-catastrophe créée par l'orchestre de Ray Ventura – et couronnée par le Grand Prix du disque en 1936 – qui restera comme un symbole d'une époque tourmentée :

Mais à part ça, Madame la Marquise,
Tout va très bien, tout va très bien !
(paroles de Paul Misraki, Bach et Laverne - musique de Paul Misraki - éditions Ventura / Warner - 1935)

En 1937, la jeune Edith Piaf, sur des paroles prémonitoires de Raymond Asso, son Pygmalion d'alors, n'a même plus le goût de sourire :

Tout fout le camp

Nous sommes maîtres de la terre
Nous nous croyons des presque Dieu
Et pan ! le nez dans la poussière
Qu'est-ce que nous sommes : des pouilleux

C'est toute la terre qui gronde
Bonne saison pour les volcans !
On va faire sauter le monde !
Cramponnez-vous, tout fout le camp !

refrain
Et là-haut
Les corbeaux
Qui nous voient tout petits
Si petits
Tournent comme des fous
Et crient : À nous ! À nous !

Et pourtant les filles sont belles
Et y a du beau soleil dehors
Pourquoi se creuser la cervelle !
Au diable tout... Vivons d'abord !

refrain
Et là-haut les corbeaux
Qui nous voient tout petits
Si petits
Crient : les hommes sont fous
Ils se foutent de nous !

(paroles de Raymond Asso - musique de Robert Juel - Editions de Paris / SEMI - 1936)

Enregistrée à nouveau en mai 1939 par Damia, cette chanson résonne encore dans les esprits qui ont vu venir la tragédie.

Le 3 septembre 1939, la guerre est déclarée... Le 26, Daladier dissout le PCF et renverra bientôt son ancien allié à la clandestinité.

Engagé volontaire, Léo Lagrange sera tué dans l'Aisne le 9 juin 1940, à l'âge de 40 ans. Son nom entrera dans la légende.

refrain
Et là-haut
Les oiseaux
Qui nous voient tout petits
Si petits
Tournent, tournent sur nous
Et crient : Au fou ! au fou !

Nous nageons tous dans la bêtise
L'homme a trouvé des jeux nouveaux
Si tu inventes une chemise
Je fabrique un nouveau drapeau !
au refrain

Écoutez le monde en folie
Vive la mort, vive la faim
Pas un ne crie vive la vie
Nous sommes tous des assassins !
au refrain

↓ pages suivantes. Le 14 juillet 1939 sera le dernier avant la guerre. Il faudra attendre la Libération pour pouvoir à nouveau faire la fête.

CRÉDITS PHOTOGRAPHIQUES

b : bas ; h : haut ; g : gauche ; d : droite

Collection Martin Pénet : 8, 10, 11, 15, 18, 19, 23, 24 bg, 25, 26, 29, 30, 35, 36, 39 bd, 40 bd, 42, 45, 46, 47, 51 b, 52, 53, 62, 83, 84, 87, 91, 92, 94, 95, 117, 121, 127, 130, 143, 149, 157, 174, 187, 190, 195.

Collection Dany Lallemand : 40 hg, 93.

Corbis : 98-99.

DR : 44, 49, 51 h, 82, 86, 137, 182.

Keystone : couverture, 9 h, 12, 14, 16-17, 27, 28, 31, 32-33, 60-61, 69, 72, 73, 74-75, 76, 80-81, 88-89, 100-101, 103, 104-105, 106-107, 112, 113, 132, 134-135, 152, 162, 164-165, 170, 171, 172, 173, 176-177, 179, 180-181, 196-197.

Photothèque de la CGT : 9 bd, 38, 55, 58, 109, 123, 128, 138.

Rapho : 133, © Robert Doisneau : 41, 120, 122, 125, 148, © Willy Ronnis : 129, 136, 145, 146-147, 153.

Roger-Viollet : 4, 6, 13, 22, 24 hd, 37, 38 h, 39 h, 43, 48, 59, 64-65, 66-67, 68, 70-71, 78-79, 96, 97, 102, 108, 110-111, 144-115, 118-119, 126, 131, 139, 140-141, 144, 150-151, 154-155, 156, 158-159, 160, 161, 163, 166, 167, 168-169, 175, 178, 183, 188-189, 191, 192-193.

Cet ouvrage a été réalisé par Copyright
Conception graphique : Marina Delranc
Mise en pages : Nicole Leymarie
Coordination éditoriale : Isabelle Raimond
Recherche iconographique : Olivia Le Gourrierec
Photogravure : Peggy Huynh-Quan-Suu

PROGRAMME DU CD

1 - À NOUS LA LIBERTÉ .... 2'53
marche du film *À nous la liberté*
(p : René Clair - m : Georges Auric)
Émile Rousseau (baryton de l'Opéra-Comique)
orchestre Édouard Bervily
matrice OW 1416-1   Gramophone K-6530
29 mars 1932

2 - CE PETIT CHEMIN .... 2'46
de la revue *Vive Paris*
(p : Jean Nohain - m : Mireille)
Lyne Clevers
orchestre du Casino de Paris, dir. Paul Misraki
matrice Ki 6230-2   Odéon 166.700
mi octobre 1933

3 - LE DOUX CABOULOT .... 1'40
(p : Francis Carco - m : Jacques Larmanjat)
Marie Dubas
piano : Ralph Carcel
matrice Ki 5471-1   Odéon 166.553
29 juin 1932

4 - LA CRISE EST FINIE .... 2'36
du film *La crise est finie*
(p : Jean Lenoir et Max Colpé - m : Jean Lenoir et Frantz Waxman)
Albert Préjean
orchestre Pierre Chagnon
matrice CL 5009-1   Columbia DF 1576
19 juillet 1934

5 - SI JE GAGNAIS LES CINQ MILLIONS .... 2'50
(p : Marc Hély - m : René Mercier)
Perchicot
orchestre Victor Alix
matrice SS 1831 B   Salabert 3411
janvier 1934

6 - LE JEU DE MASSACRE .... 3'11
(p : Henri-Georges Clouzot - m : Maurice Yvain)
Marianne Oswald
piano : Valdo Garman
matrice CL 4770-1   Columbia DF 1539
13 mars 1934

7 - VINGT ANS .... 3'02
(p & m : Jean Villard)
Gilles et Julien
piano : Maurice Yvain
matrice CL 4779   Columbia inédit
début avril 1934

8 - AU-DEVANT DE LA VIE .... 2'56
(p : Jeanne Perret - m : Dimitri Chostakovitch)
La Chorale populaire de Paris
(de la Fédération musicale populaire)
grand orchestre sous la direction de Peters Rosset
matrice Ki 7609-2   Odéon 281.051
mi juin 1936

9 - JEUNESSE .... 2'50
(p : Paul Vaillant-Couturier - m : Arthur Honegger, orchestrée par Henry Sauveplane)
La Chorale populaire de Paris
chœurs et orchestre sous la direction de Roger Désormière
matrice 10790 HPP   Le Chant du Monde 610
décembre 1937

10 - LA BELLE FRANCE .... 3'17
(p & m : Jean Villard)
Gilles et Julien
orchestre Wal-Berg
matrice CL 5907-1   Columbia DF 2011
20 octobre 1936

11 - LA VICTOIRE DU FRONT POPULAIRE .... 2'59
(sur l'air de *Gloire au 17e*)
(p : Jules Hubert - m : Raoul Chantegrelet et Pierre Doubis)
Jehan Zedd avec chœurs
matrice VP 503 R   VOX POPULI DB 812
mai 1936

12 - VAS-Y LÉON .... 3'00
(p : Montéhus - m : Raoul Chantegrelet)
Montéhus acc. d'orchestre (Albert Valsien)
matrice Ki 7603-1   Odéon 281.045
11 ou 12 juin 1936

13 - LA GRÈVE DE L'ORCHESTRE .... 3'04
(p : Jean Vorcet - m : Henry Himmel)
Ray Ventura et ses Collégiens
matrice CPT 3007-1   Pathé PA 1078
25 novembre 1936

14 - LA VALSE À TOUT LE MONDE .... 2'42
(p : Charles Trenet - m : Charles Trenet et Charles Jardin)
Fréhel
orchestre Pierre Chagnon
matrice CL 5698-1   Columbia DF 1926
17 avril 1936

15 - AUX QUATRE COINS D'LA BANLIEUE .... 2'46
(p : Michel Vaucaire - m : Rudi Révil)
Damia
orchestre Wal-Berg
matrice CL 5996-1   Columbia DF 2073
14 décembre 1936

16 - QUAND ON S'PROMÈNE AU BORD DE L'EAU .... 3'17
du film *La belle équipe*
(p : Julien Duvivier - m : Maurice Yvain)
Jean Gabin
orchestre musette Pierrot
matrice CL 5854-1   Columbia DF 1990
15 septembre 1936

17 - LA JAVA D'UN SOU .... 3'09
du film *Escales*
(p : Anne Valray - m : Jacqueline Batell)
Marie Dubas
orchestre Pierre Chagnon
matrice CL 5437-1   Columbia inédit
25 juin 1935

18 - PRENDS LA ROUTE .... 2'57
du film *Prends la route*
(p : Jean Boyer - m : Georges Van Parys)
Pills et Tabet
orchestre Louis Wyns
matrice CL 6016-1   Columbia DF 2063
21 décembre 1936

19 - ÇA C'EST D'LA BAGNOLE .... 3'23
(p : Georgius - m : Henri Poussigue)
Georgius
orchestre Pierre Chagnon
matrice CPT 3804-1   Pathé PA 1474
2 mars 1938

20 - TANDEM .... 2'49
(p : Jean Nohain et Jean Valmy - m : Mireille)
Jean-Fred Mêlé
acc. Jazz (Jean) Yatove
matrice 4039 HPP   Polydor 514 085
8 mars 1938

21 - C'EST UN NID CHARMANT (THERE'S A SMALL HOTEL) .... 3'08
(p : Louis Hennevé et L. Palex - m : Richard Rodgers)
Joséphine Baker avec Rodgers
orchestre Wal-Berg
matrice Cl 6118-1   Columbia DF 2116
31 mars 1937

22 - LE SOLEIL S'EN FOUT .... 2'29
(p : J.-H. Tranchant - m : Jean Tranchant)
Jean Tranchant
acc. Willie Lewis and his Entertainers
matrice CPT 2967-1   Pathé PA 1061
12 novembre 1936

23 - LA VIE QUI VA .... 2'28
du film *Je chante*
(p & m : Charles Trenet)
Charles Trenet
orchestre Wal-Berg
matrice CL 6830-2   Columbia DF 2492
8 novembre 1938

24 - TOUT FOUT L'CAMP .... 2'48
(p : Raymond Asso - m : Robert Juel)
Damia
orchestre Wal-Berg
matrice CL 7062-1   Columbia DF 2617
23 mai 1939

Recherches historiques, sélection des titres et coordination : Martin Pénet
Disques 78 tours originaux provenant des collections de :
Martin Pénet, François Bellair, Lionel Risler, Dany Lallemand, Jacques Bernard, discothèque de Radio France
Transferts numériques et restauration sonore : Lionel Risler (Studio Sofreson, Paris)
Datation des enregistrements : Marc Monneraye